辛丰年文集 卷二

如是我闻

辛丰年 著

严锋 编

SMPH
上海音乐出版社

出 版 说 明

辛丰年（1923—2013），本名严格，江苏南通人。1945 年开始在新四军从事文化工作，1976 年退休。20 世纪 80 年代以来，辛丰年为《读书》《音乐爱好者》《万象》等杂志撰写音乐随笔，驰誉书林乐界。著有《乐迷闲话》《如是我闻》等书十余种。先生早年因投笔从戎，未能完成初中学业，后读书自学成癖，并迷上音乐，晚年转向文史阅读。终其一生，辛丰年是一个彻底的理想主义者，一个纯粹的人文主义者，一个真理与美的追求者。

2018 年，上海音乐出版社成功出版"辛丰年音乐文集"六种。时隔五年，适逢先生百年诞辰，本社以音乐文集为基础，再收入辛丰年信札、随笔合集一种和译作一种，总计八种。

音乐美好，人生美好。纪念先生美好而正直的一生。

上海音乐出版社有限公司

2023 年 7 月

像音乐一样美好

无论在他生前身后，我想到父亲的时候，最常有的感觉是惊奇：世上怎么会有这样的人，世上竟还有这样的人。我不是感叹他的学问有多好，文章写得有多好，而是惊讶还有这么好的人。

我当然知道，作为一个儿子，用"好人"来形容自己的父亲，这没有什么意义，在今天更是如此。在一个假道德、非道德、反道德、后道德混杂的时代，对道德的冷感和犬儒态度是可以理解的。但是，我对道德理想主义依然抱有信念，因为我身边确实有一个真实的例证。

这不仅是我个人的看法，也是接触过他的所有人的印象。中国人有替他人扬善隐恶的习惯，通常对文化老人会有溢美之词，但是我看别人写他的文章，深知对他的所有美好回忆都是真的，而且只是沧海一粟。

惊讶之余，必有疑惑。我常常想，他那样的人究竟是怎样炼成的。是父母教的吗？好像不是。他的母亲很早就去世，他的父亲是一个威严而粗暴的小军阀，民国时代做过上海警备司令兼上海警察厅长和上海卫生厅长——我小时心目中标准的"坏人"。是学校教的吗？他初二就肄业了，其后全靠自学。

那么是另一个巨大的熔炉吗？他确实像同时代的许多青年，响应了时代的强烈呼唤。对于家族，父亲有一种根深蒂固的羞耻感和赎罪心，这种原罪的意识，从 20 世纪 40 年代接触革命思想，到"文革"中的吃尽苦头，一直到发家致富光荣的改革开放的今天，他从来没有改变过。

还有家国之耻。父亲说，他当年跑到解放区，是因为家不远处和平桥就是日本宪兵队，每次经过那里都要向日本人鞠躬，感觉非常屈辱。他总是绕道跃龙桥，避开日本人。他也不喜欢蒋介石，因为常去邹韬奋的生活书店看进步书籍，特别在青年会图书馆（在大世界隔壁）看了华岗的《1925—1927 中国大革命史》，痛恨蒋的屠杀，从此对国民党幻灭。

但是最直接的动因，是一本叫《罪与罚》的小说，作者陀思妥耶夫斯基。2010 年的时候父亲有一天打电话说他把这本书的英文版又看了一遍。他还告诉我，当年他投身新四军，最初不是因为读了马克思的书，而是因为震撼于《罪与罚》呈现的罪孽。无论如何，推动父亲一路走来的是一种对人间的绝对正义的追求，一种刻骨铭心的悲天悯人的情怀。他是一个无可救药的人道主义者。

还有音乐，终生自学，终生挚爱。战争年代，父亲在部队所到之处，会寻访当地音乐人，向他们请教和借乐谱抄写。在他的行军背包中，还放着德沃夏克《自新大陆交响曲》的总谱。原江苏文联秘书长章品镇先生是他的革命引路人，1945年他们一同从上海坐船到苏中分区参加新四军。两人相约仿效巴托克，随军每到一处，即以纸笔记录当地民歌。我曾见他们在异地交流采风的信件。对于他们那一代的文艺青年来说，革命是最浪漫的诗篇；对父亲来说，革命是最宏伟的交响乐章。

雨果在《九三年》中说："在绝对正确的革命之上，还有一个绝对正确的人道主义。"我父亲的一生，实践的就是雨果的这句名言，并且再加一句：在这两者之上，还有一个绝对美好的音乐。

严　锋

目 录

作者的话

　　壮着胆子写出这几篇小文章，动机之一是为了向人们推销严肃音乐。

　　严肃音乐，即"serious music"。这译法不见得理想。有人会发生误会，因此敬而远之，不想入此门来，也未可知。

　　其实它并不需要你正襟危坐，板着个脸孔，肃然而听之，接受什么"乐教"的。

　　但是它也不是安乐椅，让你无所用心，无动于衷地躺在上面，无聊赖地消磨有涯之生。

　　许多音乐作品，岂但并不轻松，还叫你神伤，心惊，数日不知肉味；然而仍想一听再听，再去受它的折磨。

　　即便是快活的音乐，狂欢极乐的音乐，也需要我们抱着一种对艺术的虔敬之心去听。这仍然是严肃认真的欣赏。

　　莫扎特的有些神品，美妙到能叫人喜极爱极，激动得只想哭；人类竟能创造出这样的珍宝！然而转念之间又不能不哀史中天才之不幸，恨现世生民之多艰了！你说这是严肃的体验，还是消遣？

人生几何，何自苦若此？胡不潇洒一回！这说法倒也言之有理，但，请饶过了严肃音乐吧！

有位可敬的友人，说过一句话，我大为感动："几年之前发现了音乐中的境界，才醒悟到在此以前的半生真是虚度了！"

窃愿天下有情人都来参加倾听人类创造出来的好音乐，得大享受。因此上，也顾不得自己只是一知半解，搜索大半生中所得的听乐实感，姑妄谈之。

一花一世界

　　老来回味这大半辈子所读文章，最不能忘怀的不一定是"大块文章"。几首唐人绝句、五代小词，以至"大江流日夜"之类佳句，往往在记忆中最能"保鲜"。

　　平生也喜读画。若要我举最为骇目动心的一幅，立刻想到的也是一张木口木刻。刻的是二次大战中一个镜头。大洋上空空荡荡的，渺无一物。唯见一圈圈油迹正泛开去，似乎是从水下冒上来的。圈圈里淡淡几朵云影。圆心处套住一架飞机的影子。居高临下鸟瞰着这场潜艇战遗迹的飞机，成了迟到的吊客，只好自吊其影。连人带船，自然都已海葬于无声无息的大洋深处了。

　　对于我，这幅小品比毕加索的巨幅《格尔尼卡》更有力，叫人痛恨法西斯，为人类的命运沉思。"尺幅千里"的形容似乎不够了。联想无尽的是包含了高空、大洋与海底的广大空间，在这一舞台上演出的那一部历史剧。

听乐也有类似的发现。每次听完一部交响曲那样的大曲，如同读了一部《红楼梦》或是《战争与和平》，仿佛经历了一次人生，做了场黄粱梦。但人生苦短，怎可能老是到"大世界"中去体验？所幸音乐小品中别有小天地，可以从容涉猎。

乐史资料中提到，19世纪以来，爱乐潮流中出现过小品热。有需求，自必有供应。听之不尽的小品乐曲便流行于世。有特为创作的，也有从大型乐曲化整为零的。

小品得宠，原因有种种。音乐本身的价值应该是主要的。回想起来，有许多小品储存在记忆里快四五十年了，至今还是舌有回甘，余香可掬，便是证明。

那就先来回想一下《回忆》这首小品吧。它原名是 *Souvenir*。这个词，语感很美，原是纪念品之意。从前有一张"胜利"唱片上用了这个中译名。那是克莱斯勒的录音。他那韵味独绝的揉弦滑指等等手法，是我们在《泰伊思的沉思》《中国花鼓》等唱片中听得熟了的。由他来拉《回忆》，恐怕比别的提琴名手更相宜些。

话说后来偶读欧·亨利一篇小说，忽然觉得：《回忆》大可用来作它的配乐；或者说，它可以作《回忆》的"标题"。

这篇小说中，一个青年到处寻访自己的情侣。他暂歇在一家公寓里，几乎要放弃寻找的念头了，忽然一种香水气味飘来，木犀草香味。这香味他太熟悉了！于是……

嗅觉的记忆与联想成了这篇言情小说展开情节的关键，原也有其心理学的根据吧。有意思的是这样一种"通感"现象：有的音乐似有芳香。对我来说，每听到马斯南和德里布的某些作品，便有此感，听《回忆》亦然。我想，音既可有"色"，自然也不妨有"香"了。

《回忆》这首有"香味"的小品，作者是捷克人 Drdla，这个字不知道怎么读才对。此公又是怎样的一个人？不知其详。只知道他刚好死于"二战"胜利前夕，除了许多小品之外，也仅仅作有歌剧两部而已。

大画家的身影里遮没了多少小画师！小品作曲家群中，有许多也成了被遗忘的人。《回忆》的作者总算还留给我们另外几首小品，一生只留下一曲的何尝没有。最现成的一例是《少女的祈祷》的作者，波兰人巴达尔赛夫斯卡 [1]。

宋时"凡有井水处皆唱柳永词"。从 19 世纪末以来，凡有钢琴处，便听得到《少女的祈祷》。我国恐怕也不例外。

《牛津音乐指南》中如此介绍：任何一个趣味不高却又多情善感的弹琴者，无不爱弹此曲。女作曲家二十七岁便死了。直到六十年后，这一曲风行如故。1924 年，仅仅一家开在墨尔本的谱店，便年销乐谱一万份之多。

还有一幅"音乐漫画"才谑而虐哩！据肖斯塔科维奇讲，莫索尔格斯基曾作这样一首钢琴"漫画"。"画"的是一位修女

1　Badarzewska，现在通常译为"巴达捷夫斯卡"。

大弹其《少女的祈祷》，而那架琴是走了调的！难不成这位病态的大天才是因为受不了噪音干扰，一怒而作此？似乎契诃夫的戏剧中也利用了《少女的祈祷》这一曲。由此可见，当时恐怕是"家家'少女'"了！

它虽然是一首凡品，假如不那么穷弹滥奏，也还不至于招厌。比这更平庸的小品多的是。如今凡是新添一架钢琴的人家，好像也必备一本《钢琴名曲二百七十首》。20世纪40年代，此谱翻印本便出现于上海滩的许多琴行的柜上了，而原书的出版年代则更早，是第一次大战结束的那年。此集中便尽多此类沙龙曲。但即以这部杂烩曲集而论，其中也有许多小品是经得住时光磨洗的。

比方，此集中收了舒伯特一首《音乐的瞬间》（作品94之3），弹它一遍要不了三分钟。曲中意味却不大好描述。听听威廉·肯普夫弹的，可以证明它的毫不浅薄。要是你喜欢舒伯特，会觉得这音乐是他的性情流露。

贝多芬有三套名副其实的小曲集（Bagatelle）。凡是真想理解贝多芬这个人的，决不可不听其中标"作品33"的一集，尤其集中第一、第三两首。这种音乐，老老实实，没有一点矫饰做作，像童言儿语般率真可爱。

还有一首也是被人们弹得、听得"油"了的，贝多芬的《致爱丽丝》。听了肯普夫的诠释，才领略其真情本色。

假如友人愿飨我以门德尔松，要我在《意大利交响曲》与

《无词歌集》两者中挑选，我要的是后者，尤愿听其中的《春之歌》。从前从丰子恺的书中读到赞赏此曲的几行漂亮文字，至今还背得出。门氏的交响曲，现在已懒得再听，可一束无言歌始终有不小的诱惑力。

大匠们手制的小件艺术品，很有一些微型杰作。老巴赫为初学琴者编制的那些小步舞曲等，多么简单，又多么耐听！肖邦《前奏曲集》中有一首，别名"小波兰人"，才十六小节长，无可再短了，曲中境界并不局促。谁不欣赏德沃夏克的《降 G 大调幽默曲》？如果只听个旋律美就可惜了。它是值得你诚心诚意品味一番的。它有一种暖人的亲切，颇像是这位屠夫家的儿子同你围炉抵膝而谈，忆他儿时听到的故事。

圣 – 桑，自是一位有才气有功力的乐人。但依我看，与其去听他那些无甚深意的《死之舞》之类大作，宁可多听听他的两首有魅力的小品。

一首是《引子与回旋随想曲》。大凡像这类漂亮且又大可炫技的小提琴曲，常常叫人一听便爱，多听则腻。而此曲不然。听它，总容易想到莫泊桑的一篇小说，又像看一出芭蕾。曲调是真美！艳丽之中明明含着哀怨。

另一首便是大家耳熟的《天鹅》了。犹记当年是先从徐迟谈乐的一本书中，读了他那诗意的描绘，为之神往；后来才听到此曲，果然获得了印证。从此，隐现于苍然暮色中的湖上白鸟，便如同一枚精工的浮雕小件，镶嵌于心目之中。这样好的一首作品，却被作者自己硬塞在《动物狂欢节》的杂烩里，想起来总要为它抱屈。又不知怎的，它后来被改编成了芭蕾小品《天鹅之死》。对那形象化，难以信服，只好怪自己先入为主了。

靠了小品，大师们同更广大的听众结缘；二三流者更是多亏了小品的普及，才得以留名于世。留名，其实也是空的。人们听了，弹了，享受了，赞叹了，却是不大会去问一问谱曲者的身世。如果考考那些折腾《少女的祈祷》的仕女们，说得清作者名字的又有几人？

有一首《杜鹃圆舞曲》，可谓童叟共赏。浅而不俗，天真烂漫。宁肯多听几遍这首曲子，也不耐听完瓦尔德托费尔那些冗长无味之作。他还是"法国的施特劳斯"哩！《溜冰者》自然是可听的。

《杜鹃》[1]署名乔纳森。关于这位瑞典人，"权威"的《贝克音乐家传记词典》收都没收。这又是一个我们只知其一曲的作者！

乔纳森是小人物，那么安东·鲁宾斯坦又如何？此公是又一个"钢琴之王"，写过《大洋交响曲》等等。可是如今的爱乐者，大抵只熟悉他的一首小品：《F大调旋律》。小时候我们唱过《春来了》，便是用它填词改题的。填词者是音乐家沈秉

---

[1] 即《杜鹃圆舞曲》，后文中出现的《田园》《牧神》等均为曲名简称，此后不再一一注释。

廉。这标题我以为是极当的，原曲意境全出来了！

《F大调旋律》一度也是沙龙中的宠儿，还改编成大提琴独奏等乐曲。它的这种改编曲是如此之多，曲目在《大不列颠书目》中占了十二页。

听一部交响曲，起码也得付出半小时光阴。人寿几何，能听多少部大曲？那么你可以花较少的代价，到繁星般的小品世界中去体验感情，驰骋想象。

比如，从同类乐曲中听其不同风味，便是一大受用。小步舞曲多得难以列举。莫扎特那D大调的一首，固然与贝多芬的G大调的面目有别，从比才《阿莱城姑娘》组曲中摘出的两首，则全然是另一种味道。试从巴赫、波克里尼等一路听下来，直到比才之作，便是对各时期各风格小步舞曲的一番巡礼。

小品中，小夜曲最讨人喜欢，可赏之作着实不少。在共性的抒情色彩中自有种种不同的色调。原是弦乐四重奏之一章的"海顿小夜曲"，自然是古典的素雅；舒伯特的一曲，便是罗曼蒂克的浓郁了。再将托赛里、比尔内与理查德·施特劳斯三家所作对照，于个人风格之外，又听得出不同民族的腔调。这倒像是品茗，先喝龙井，再饮云雾，又试乌龙。

借此机会为小夜曲中一首好作品说几句，但愿大家别忘了它。作者阿伦斯基，乐史中有一席之地。所著《和声入门》，我国学音乐的人不会不熟悉，前几年还重印过。

他这首小提琴曲，论其感情之真挚，音调之甜美，窃以为是小夜曲中突出的。我想，称为极品也不为过。曲中用到的"泛音"，也叫人觉得是发自衷情，非这样不可，绝无雕琢卖弄之感。它有一种俄国味，容易联想到旧俄作家小说的情调。

同小约翰·施特劳斯所写颇不一样的，有很多华尔兹。舒伯特写了不少小华尔兹。其中有埃尔曼灌了唱片的一首《情感华尔兹》。真是情感"浓得化不开"。还有古诺、勃拉姆斯、柴科夫斯基他们的，各有特色，绝不雷同。肖邦的圆舞曲另是一种格调。德里布两部舞剧中都有"慢圆舞曲"，也是那种有"芳香"的音乐。西贝柳斯的《哀伤圆舞曲》则是黯淡阴森的北国风味。

有两首《木偶圆舞曲》，我也认为是绝妙好曲。一首的作者是小品作家波尔第尼，匈牙利人，1948 年才去世。曲中的舞者既有木偶形象又有淡淡哀愁，大有人味。令人感叹：人耶偶耶？另一首是大手笔肖斯塔科维奇为少儿而作。简练的笔触，勾画出一个可爱之极的小精灵。

摇篮曲也一样。从舒伯特、勃拉姆斯、格里格、哥达到贺绿汀，一个人便一种性格。

参天大树旁有小花草，也是可以注视，可为移情、动心的。我还是借马克道威尔 [1] 一首小品为证:《致野玫瑰》。它太

---

1 MacDowell，现在常译为麦克道威尔。

小了，有的乐友不屑一顾，而我爱不忍释。它有一种清清冷冷的音调，听了有深深的寂寞感。20世纪60年代末，有半年时光，自己天天在空山穷谷里割草喂鱼，深味过此种寂寞。举头唯见白云苍狗，那似乎是终古冷然的；蹲下来则见那些自生自灭也自怜的野草闲花，于无边寂寞中但觉草木有情而已。

一首小曲，竟能给人以"迁想"的自由，引出那么深广的境界!

【附记】

文中说的那一幅木刻小品，是裘屈德·海米斯所作，题为《战士之墓》。20世纪50年代从萧乾编的《英国版画选》上看到的，一见便再也忘不了。据选者介绍，版画作者是他"二战"期间在英伦时的芳邻，一位一支接着一支抽烟，画室中烟蒂头狼藉满地的女画人。此作是她战时横渡大西洋时构思的，画的是油轮沉没那一瞬间。"唯一向人们诉说灾难发生地点及祸源的，是几只翻飞的海鸥，以及那个狰狞可怖的敌机阴影"。

抄引这一段介绍，作为对我文中写的自己的印象的更正。但那错误印象却深印心头，成了几十年不淡的记忆。大概是由于我耽读"二战"史，对大西洋上的反潜艇恶战，印象特深，竟将自己的想象叠印进那幅原画了。据战史，每当纳粹潜艇干下罪恶的勾当，盟军一方的飞机假如能及时赶到，也便是抓住它，让它葬身海底的好时机。但如迟到一脚，便只好为海底冤魂送葬了。正因此，我的联想才把图中机影当成了盟方赶来救自己人的。这似乎也颇能自圆其说。既然一首乐曲中的意象可以引起不同的联想，对一幅画，也不妨如是观吧？

前文中说的圣－桑《引子与回旋随想曲》这一曲，归在小品里可能勉强了一点，因为它听起来需要十分钟还不止，但也不是一部大曲，只好算是"中篇小说"。我说听它的时候想到莫泊桑的小说，指的是从前李青崖似乎未译的一篇。题已浑忘，主要情景却宛然在目：一位舞女，表演什么空中飞人式的杂技性舞蹈的，那回她上了场心乱如麻，老惦记着另一个已经在场上摔成重伤的男舞伴，却还不得不强打精神应付演出，终乃又来一场事故。我从曲中的华丽舞姿觉出凄苦之情，联想便是由此而生。

欧·亨利的那篇小说是《带家具的公寓房间》。男青年从一缕幽香追踪出他情侣的确曾经寄寓此室，然而，贪鄙的女房东瞒住他的是，伊人在这房间里受尽凄凉，早就"魂归离恨天"了！（"魂归离恨天"乃电影《咆哮山庄》俗译。）

民族乐风色香味

　　当初听西方严肃音乐，是从德、奥经典作家开的蒙，无形中也便将这些同"西洋音乐"画了等号。待到听了格里格的《培尔·金特》组曲，惊诧于有某种很特别的东西扑面而来，仿佛有未曾见过的色，有可用鼻子深嗅的香，有可吮可咂的味。

　　听得多了，也便自以为尝到了民族乐风的色、香、味。

　　格里格虽是挪威乐派巨子，同时代人德彪西却不大看得起他，在乐评中有所讥弹。但德彪西有句话说得隽：听格里格之作如嚼雪中之果。这话正道出了我自己的感觉。

　　格里格所作，无论是李斯特激赏不已，看着手稿便弹的《a小调钢琴协奏曲》，还是小提琴奏鸣曲和收在《抒情曲集》中的那些小品，常常叫我感到一种可喜的冷味，似乎音乐中挟着令人心神清醒的北国之风，于是便容易联想到（想象中的）挪威的大自然，严酷又自有其明丽的风光。

　　要举例说明这微妙的冷色冷香，《致春天》是很合适的。

钢琴黑键上叩出的曲调与和弦，玉洁冰清！当那含有增五度音程的和弦响起时，竟如咽寒泉，沁骨清甜！

再举一首咏春的作品为例：辛丁（C. Sinding）的《春之絮语》。他也是挪威乐人。此曲有译为《春之声》的。其实同小约翰·施特劳斯的《春之声》正好是两种"温度"。

此曲虽嫌单薄，且意犹未足却已收场，但那北欧味是听之不厌的。曲中大有生机萌动、融雪化水的意象。译名如借用陈歌辛所作《春之消息》这抗战之初曾经流传甚广的歌名，倒也颇切。

也是北欧作者，但比前两位气象阔大的是芬兰的西贝柳斯。格里格的曲中有春寒，西贝柳斯的作品中则有北国严冬、寒凝大地的冷味。

"欲寄荒寒无善画，赖传悲壮有能琴"。王安石这一联竟可借来套在这位崛起北方的交响乐大师身上。他不但善画荒寒之境，听其乐章，往往寒气逼人，又总是含着犷悍倔强的精神，显出一种壮美，绝不觉得枯寂消沉。

西贝柳斯不但爱用突如其来的强奏，又颇喜用老长的一大段渐强，酝酿气氛。听时不免想到罗西尼的渐强——别名"轧路机式渐强"，在他的歌剧序曲中常见。可是两者很不相似。后者是一伙人玩笑着拥上前来，前者却是"暴雷雨岸然轰轰而至"（某诗人的警句）。

也许由于北欧乐风的对比，后来又感受到乐中之热，主要便是西班牙音乐。音乐调色板，好比是画家的调色板，也好像冷暖色都齐全的。

但首先接触的是并非西班牙作曲家们写的许多"拟作"。这类"拟作"多极了。虽然是临本摹本,仍然从中感到有地中海吹来的热风。

初听里姆斯基 – 科萨科夫的《西班牙随想》,便同那瑰丽的彩色一起,感到了这种热。可以说这是夏天的音乐。

这位管弦乐配器大师,工于调色傅彩。他写的配器法中,提供了关于取得配器最佳效果的比例之类的配方,如同画家调色之有比例。他的许多效果辉煌的乐曲,我是始爱而终厌之。因为,漂亮极了的旋律徒然变换着用和声与音色编织起来的行头,但是乐意却并无进展。

然而至今仍愿一听这部随想曲,就为了重温那热风给我的感受。

罗曼·罗兰赞为"更加德彪西"的拉威尔,听他的作品,虽有独特的精致,往往嫌他冷漠。但那首《波来洛》,也曾因其中有热而爱听,还觉得,不难译之为视觉形象:

大队人马,头顶烈日,踏着烫脚的沙石,鸣金伐鼓,由远而近地行进在西班牙山谷间。

前面提到两种渐强,《波来洛》中也有一个漫长的渐强,全曲就是在渐强中开始,一直到结束的。是在转动着配器万花筒的同时,逐步升级地加温,末了的不协和的高潮,喧嚣聒耳,也便达到了令人烦躁的高温。

拟作听得多了，渐渐失却新鲜感。即使听萨拉萨特作的西班牙舞曲，也没听出什么新意思。直到听了阿尔贝尼兹与法亚，才算尝到了原味。

同是一首《塞维里亚舞曲》(阿尔贝尼兹作)，听钢琴上的原作似乎钢琴声也西班牙化了。可后来听到吉他上弹这一曲，其味更浓，前者的效果顿然减色。此无他，作者虽为钢琴谱曲，心里想的一定还是他们民族的喉舌：吉他。

同是南欧，意大利风的音乐似乎不够热，而只能说是有某种暖味。柏辽兹的《罗马狂欢节》序曲一开头，圆号与黑管吹出一个极有味道的单音，由弱而渐强又转弱，引出英国管主题，一下子造成了喜逢佳节、满城阳光的气氛。曲中便有此暖味。柴科夫斯基的《意大利随想曲》中又是一种暖洋洋而懒洋洋的味道。这些自然也是异邦作者的"拟作"，然而听意大利民歌，所得印象也相似。

法国的古诺、马斯南的音乐，听时如手抚天鹅绒，一种舒舒服服的暖，且有脂粉气。有时好像到了俗媚的边缘。比才的音乐当然是暖的，是正常的体温那种暖。它的美，真可以说是洋溢着生命力的"健康美"！

当年俄国民族乐派的人，嫌柴科夫斯基的斯拉夫味不够。我却不爱听强力集团中人之作，觉得还是柴科夫斯基的音乐有味。这种不同于西欧的俄罗斯味，印证、补充了我从俄罗斯文学中所得的印象。

有一个好例子。曾听苏联人演奏的《悲怆交响曲》。最动人的倒不在那恸哭的最后一章，而是在第一章里。当第二主题呈示的时候，恰似什么剧中女主角悄然登场，吞声无语……演奏者将力度、速度与"呼吸"掌握得极有分寸。再听别国乐队奏此曲，往往魅力大减。于此也可见出，还是本民族的人更深知其味。当然不尽如此。

提到德沃夏克，首先涌上心头的必然是《自新大陆》。因为自从有了读乐的爱好，便同这部最为大众化而且最经得起听的交响乐结下了深交。也是它，加深了我对民族乐风的兴趣。单是唱片，前后便买过不同版本的好几套了。

曾有一位乐评家，赞赏了门德尔松的小提琴协奏曲，却又遗憾于不能重新活过，好来重享一次初听时的新鲜感。这，我有同感。但我觉得，自己无须这样来领略《自新大陆》之美，虽然反复听过大约已有千遍了。

《自新大陆》迷住了我，原因之一便是其中大量的美国黑人与印第安人音调。那五声音阶的旋律，我们中国人听来尤其可亲，简直如闻乡音但又难于认同。

同样包含了这种音调的是他的《F大调弦乐四重奏》。此曲既有个"美利坚"的标题，又得了个"黑人"的外号。

早年虽从收音机中初识其面，只是惊鸿一瞥，从此再不能忘。到了20世纪60年代初，不顾当时的禁忌，辗转求友人从作者故乡买来了袖珍总谱，又从东德买来了唱片，才解了渴。

这两件东西来之不易，历劫幸存。虽谱已重装，片也磨损，而那音乐仍如《自新大陆》一样，永葆其新鲜感之青春，且愈听得熟也愈觉其味之醇了。

德沃夏克作品中的异域音调，其实都是采了花来自己酿的蜜，和他自己的乡音融而为一的。到了《斯拉夫舞曲集》《传奇集》中，更是放声唱他本民族的歌了。

听他的《狂欢节》《在自然中》这两首序曲，青春气息熏人欲醉。在《弦乐小夜曲》中，他敞开怀抱自抒其内心的愉悦，使旁听者也成了"知情人"！

要我这德沃夏克迷把所感都倒出来，即使纸墨不限，词汇也不够用。至今想起还有点怃然的是，1949 年夏，在拙政园中向一位我尊敬的音乐学者请教：他认为德沃夏克如何？回答是：不怎么喜欢，嫌他粗！

民族风的作品，有些主要以其触目的色彩吸引我。德沃夏克的迷人处并不在其色与香，而是颇难形容的一股民族情味。勉强说：温柔敦厚，热在其中！

掉头再听已经习以为常的德奥乐风又如何？有对照，新感觉便出来了。听它们，往往简直使人忘了有色彩这事。或者可以说，如读文艺复兴时期的画，又是别一种色彩感。从巴赫、莫扎特到贝多芬、勃拉姆斯，都是这别一种色彩感。正如德国民歌，朴素无华也正是其特"色"。

引起自己继续思索寻味的是：文学艺术的民族之异，异中见同，渗透交融，那色香味就更不好分辨了。

巴赫、亨德尔、莫扎特，都从当时影响很大的意大利音乐中取精用宏，化为自我；贝多芬与他们一脉相承，吸取营养。然而世人倾听巴赫、莫扎特和贝多芬，既想不到意大利，也忘其为德、奥了。岂但如此，我们中土人如其听出了意思，也会浑忘其为西洋之乐了！

色香易辨，知味实难。肖邦的作品我深爱，好多是可以共鸣的，偏偏听不出他的马祖卡中的波兰乡土味！英国民歌极喜唱，埃尔加、戴留斯的作品，也能辨出一点英国味来。然而听沃恩·威廉斯写的《田园》，茫然不解。

这自然要怨自己浅陋。由此推想，对于其他作品的感受，会不会竟是隔靴搔痒乃至盲人扪象？

反瓦格纳健将、音乐学者汉斯力克说过：多少年后，易卜生的诗剧要借格里格之乐而传。我正是靠了格里格才略识《培尔·金特》的民族味（虽然评者以为，配乐其实并未传出原剧的辛辣）。在我辈真是要感谢人类有音乐这种无需翻译的语言了。

德彪西的《伊贝利亚》，也写了西班牙。似乎不难解。此公平生只到过法、西边境上，一观斗牛之戏。但法亚说他写得比自己同胞的作品还够西班牙味。如此说来，我这海边拾贝者，凭借音乐语言，加上其他媒介，在意想中参与民族乐风色香味的盛宴，也不必自疑其虚妄了。

耐人寻味的中国味

如果不是听了西方音乐，接触了各种不同风格的异域音调，可能自己也就不会对音乐的中国味发生兴趣，从此有意识地去"寻味"。

听了古琴曲，见到赵元任的《新诗歌集》，才懂得还有"中国味"这个题目。

《新诗歌集》真是大可怀念的一本书！老大的十六开本，且是用厚厚的重磅道林纸印的，经不起翻来覆去地读，终于读"破"了。几年前，忽然上海文艺出版社办了件大好事，出了《赵元任音乐全集》。买到手，像见到母校恩师一样激动，也让我回味起追寻中国味的"心路历程"。

那时也巧，唱了他谱的歌曲，读了他谈中西音乐异同的长序，和每首歌曲所附的解说，已经是大开眼界了；竟又听到了他的"现身说法"！一张百代公司出的唱片，一面录的是很多人爱唱的《教我如何不想他》，翻过来，是至今恐怕还有很多人不大知道的《江上撑船歌》。

同别的歌者所唱的《教我如何不想他》一比较，他所发挥的，正是那中国味。这比歌集中的音符与文字更加说明了问题。

集中不但有《听雨》《瓶花》这种古意犹存的中国味，又有《茶花女中的饮酒歌》《海韵》《卖布歌》等新文化色彩的中国味。后生小子的我，得以以乐参诗，追想早期新诗人的情怀，为读《扬鞭集》《猛虎集》平添了更多想象。

如果吟唱《听雨》，土嗓子更合适，唱《教我如何不想他》，可中西合璧（其中那几个"啊"字放在新诗里很难朗诵得亲切而不肉麻，在歌中却极有味道。新配的曲调便借用了京剧乐汇。作者自己唱它时还巧妙地运用了中国式滑音唱法，初听特别感到讶异）。那么，唱《海韵》用洋嗓子，也不觉其别扭了。

为了寻中国味，读了些为古诗词谱写的音乐，有心去辨认那乐意与诗味是否契合。读了黄自的《赋登楼》等作，觉得如果作曲者捕捉到了原诗韵味，而音乐又足以令人信服，那效果就像沟通了古今人的感受，连那伴奏的"洋琴"声也不觉其洋了！

从声乐连带注意到器乐，于是又见识了刘天华的二胡音乐。本来我对二胡有恶感，是由于常听到纨绔子们以拉皮簧为消遣，迁怒于乐器。这下子才知，胡琴并无胡味，倒有浓厚的中国味。听《良宵》《月夜》《病中吟》，同读唐诗、宋词的感受有微妙的一脉相通。

听西方人写中国的音乐，叫人想到英译唐诗。克莱斯勒的小提琴曲《中国花鼓》是一支很有听头的小品。他自己演奏的唱片，也曾在旧唱片行中买到。当时已到20世纪50年代，旧唱片已成了宝贝。据说作者是从美国的唐人街寺庙中汲取了灵感。他也来过中国。但这乐曲也不过像柴科夫斯基的《胡桃夹子》中的《中国舞曲》，只是外国人心目中的中国味吧？

还有俄国人阿甫夏洛莫大的《北平胡同》，因看了李树化文中的介绍也曾慕名，渴求一听而不可得。后来偶然从旧货店楼上的唱片堆中挖出一张，终于知道这以弦乐高奏皮簧过门开始的音乐风情画是怎么回事，但如今也只剩下这一点有滑稽之感的中国味了。

可是也发现过可以说明中西之间并不完全隔膜的例子。至今还回忆得起，读华丽丝谱的"并刀如水"，一种鲜活的乐感，颇有助于扩充对原词的想象。一位现代德籍乐人，用西方技巧谱的音乐，居然和宋人的绝妙好词结合在一起了！作为文化交流中一种现象，也总记得同这位作曲者有关的一事。她为中国古诗词谱写的歌曲中也有李后主的"帘外雨潺潺"。其时忽有某公（搞中国诗词的。萧友梅作歌曲常用他写的歌词），认为华氏所谱于声律未谐，便按他自己习惯的方式自度一曲，拿出来同华氏"商榷"。那结果是遭到了《我住长江头》作曲者青主的好一顿痛斥。

解放战争时期，身处敌后农村，常有机会听民间歌手唱民歌，唱地方戏曲。这大不同于从民歌集上读来的印象！泥土香浓，是更地道的中国味。

至今留下深刻印象的是一首并不出名的小调和一段地方戏的曲调都是江苏盐阜地区的。一首是《老悲调》：老娘亲反复叮咛，要出门赶考的儿子一路当心。要他天不亮便起身上路，要他天未黑便下山投宿……一个简单的曲调絮絮叨叨地重复，然而感慨苍凉，经得起重复，容得下丰富的感情。最后来了一句说话般的却又极悲凉的"叫一声我的儿呵，你快去吧喽"！

另一首《十二月小寡妇》，曲调也是简单的几句。并不激动，只是幽幽地一个月一个月地诉着，而那茹苦含辛却怨而不怒的"伟大的忍从"，悲凉有胜于嚎哭。

比起《老悲调》来，《阳关三叠》可以说是古别离的音调了。自从听到卫仲乐弹的这首古琴曲，便深爱它那中国味的敦厚。但又觉得，这首明代流传下来的琴曲，曲趣虽和王维的绝唱相通，又并不全相似。它不像那种古代文士的淡淡的惆怅之情，倒更像近世平民的伤感烦忧。从元明以后的戏曲、章回小说中，不难捉摸到这种情味吧？正因如此，后来又听到一位歌手用土嗓子唱这首琴歌，歌声果然更能传出那黯然魂销之情。

民歌民乐中也不乏"喜洋洋"的"欢乐歌"。然而最有味最难忘的还是这类悲凉之音，说到悲凉之音，我想无过于

《二泉映月》了。

老唱片上有阿炳的遗响，只是难以作为依据来追踪其真味，录音太不理想，无可奈何！自从知道有《二泉》，各种诠释听得也不算少了，对那悲凉之味是听之愈久，感之弥深。未料几年之前又入新境界，从广播中听到了蒋风之的演奏。音响虽也不理想，但那卓然不群的诠释产生了强大的说服力，简直把人的心都揪住了！

这时早已多次听过吴祖强先生改编的弦乐合奏曲。由于和声复调的运用，弦乐配器效果的发挥，《二泉》发出了更为宽广深沉的声音。听了蒋氏的独奏，觉得这二弦上流出的单音旋律，并不弱似一个弦乐队的几十根弦上的和音。听他演奏，眼前如见阿炳。斯人憔悴，挟琴而奏，以琴代歌，长歌当哭，踽踽凉凉，边奏边行，弦音苍老，甚至带点沙哑，反而更有歌哭之味，加上节奏渐趋急促，更显得感情在汹涌……我惊叹这小小胡琴上迸发出的中国味竟是恁地浓烈！又好像，到此时才真正认识了《二泉》！

源远流长，中国味各式各样。比如江南丝竹是一种美，尤其那灿若云锦的《中花六板》。我说好像是《浮生六记》的绝好配乐。又如粤曲，别是一种美，妖娆靓丽。记得电影《虾球传》，一开始配了句《旱天雷》，气氛渲染得妙极！如果用粤曲配衬张爱玲的某些香港传奇，也可能合适。这以上两种绝不相似的音乐，都叫我联想不同地区不同时代的人的繁华梦，悲欢情。既不同于琴曲之雅，又不似农村民歌之土，似乎大有市井气味了。

又比如昆曲《游园》中"良辰美景奈何天"那一大段音乐，写景传情，魅力可惊！听了这，才知道，《红楼梦》第二十三回中，曹雪芹写黛玉"听曲梨香院"一篇文字，绝非随便扯上这段曲文的。曹侯心目中一定除了剧文还有音乐。

还有一例也不可思议。曾经观看我们苏北一个小乡镇（浒陵）的花鼓戏，演的是元宵节男女观灯，音乐不过是串起来的一些小调。唱、舞都素朴自然。然而它让我真正体验了一次乐、舞、剧综合产生的神奇效果！真是"乘着歌声的翅膀"似的，欲仙欲死！

读敦煌唐琵琶谱今译，有点难信，这同唐诗中所绘之声是一回事？唐宋的法曲、词乐就那么声沉响绝了！然而细读朱谦之《中国音乐文学史》，又生狂想。今天的民歌民乐，并非无源之水，突如其来。从今别离中想古别离，从今女怨中想古女怨。传统的精魂恐怕是不绝如缕的。更可思的是，正如朱氏说的，中国文学自来便同音乐相结合。我想这种难解难分的关系似乎不仅在于诗与乐的联姻。诗中有画不奇，微妙的是诗中有乐。中国诗尤其词中的音乐性是极微妙的，凡人说不清，但可体验到。

因此便感到，高度音乐化的五代、宋词，那文字的外壳里好像有吟之欲出的乐音。这种记不出谱的旋律，也许比外在的词曲音乐更奇妙。读今译的姜白石词曲如《暗香》《疏影》，便有此感。

对照古代文学与音乐的密切关系，现代好像是文乐分驰，文人已"非音乐化"了！埋藏于古代文学中的"音乐"，也许比古谱更需要发掘与借鉴。

回顾寻中国味的历程，有个总的感受：听域外之乐，进入角色，也能化隔为不隔；赏家乡之音，一旦有会于心，那可真是一种"浃髓沦肌"般的享受。谁叫我们是有绵延几千年文明的中国人呢！

如是我闻贝多芬

一个贝多芬，从何说起！

20 世纪 70 年代，为了纪念他，发行了两种唱片全集。有一套共一百一十张。不吃不睡地听，足足可以听五天五夜。

关于其人其乐的书，自从他一死，便左一部右一本地出。翻开音乐词典，贝多芬这一条目后面开列的重要参考书目，密密麻麻的小字排满了五六百行。

为他作传的，并不都是专治乐学的人。我有一部译为俄文的"贝传"，"文革"中斗胆夹带到"充军发配"的乡间，另外还有两本贝多芬九首交响曲的钢琴改编谱（封面上的头像用浓墨涂抹了）。这本大部头的传记，作者是曾任法兰西总理的赫里欧！

更何况，他是"乐圣"（不知谁给加的冕，可能是东邻扶桑人的创作，再引进过来的），我辈爱好者只是凡人。

然而既然听了几十年他的音乐，竟似在他门下出入得熟了，总该说点观感。我向来以为，真正的乐人，主要是为不懂作曲的人说法的，更何况贝多芬。他之不同于前人，正在于从高贵的听赏者转向了凡众。凡人完全有资格谈谈贝多芬。

可笑得很，促使本人去叩乐圣之门的，是乐迷们津津乐道的那篇美妙的假报道：月光曲的故事。客里空¹往往很起作用，而况编得巧妙。原先我是音乐的不良导体，更不识古典音乐为何物；一读丰子恺的书，心想人间真有一种音乐，能兼有诗与画的效用？不能不听个分晓。乐迷生涯便以这首费解的奏鸣曲为开始。

《月光》编号是"27 之 2"，是他较早时期之作（绝笔编号为 135），按说要比以后的作品好懂吧，其实不然。

四十八年前开蒙第一课的印象，至今回味无穷。一架手摇的老式留声机，上紧了弦。期待奇迹出现的心情，也正如那上紧的弦。我要"按图索骥"，等着那唱片上幻化出一幅"情节画"：湖光、月色、茅舍、乐圣神思飞越地即兴弹奏、盲女面有狂喜之色……

奇迹没有出现，但我有了一个大发现：世间确有一种艺术，听不懂，但肯定不是在骗你。

硬着头皮再听。后来听得把崭新的唱片都让钢针刮得毛糙沙哑了。到目前为止，此曲听过多少遍已无从统计。然而还是

1 苏联剧本《前线》中一个惯于捕风捉影、弄虚作假的新闻记者。后被新闻界借用，泛指新闻报道中的虚假、浮夸作风。

觉得它费解，尤其那短短的第二章。李斯特比之为"两个深渊间的一朵花"的，有谐谑曲味的小步舞曲。

美妙的故事不足为据，行家的诠释也帮不了忙，无法与作者产生交流默契。"一篇锦瑟解人难"，但好像也不完全妨碍你去爱读《锦瑟》。

但我此刻急于向同好者说明的，其实是"圣"门并不难入。

就在反复倾听却看不见"月光"也听不出作者的心里话的同时，借到另外两套唱片。一听之下便被俘获了。一首是《爱格蒙特》序曲，一首是《田园交响曲》。一首火热如夏，一首则和煦如春。听前一首，体验到一种观看史剧的激动；从后一作中，读到一首田园诗。

《爱格蒙特》这首压缩得很紧密的"史诗"，从那一开头几个沉重如山的和弦，到曲终的凯旋高歌，一听便"跟"上去了，一点不"隔"，虽然并不想去图解它。

没想到《田园》虽然是交响曲，却那么平易近人！虽然作者意不在刻画，也不想让听者看画，然而在第二章的《溪边》，我的确追随着他漫步所之，自在徜徉，目睹了如画，又胜于画的自然风光。不止看到了什么，还呼吸到了什么，心神俱爽！既意识到那大境界，又时而瞥见诸多细节。比真画更活，比真景更多点难状之情。

作者激发了你的情绪，也便打开了"信息库"，记忆、联想、想象，顿然联通了，活跃起来了。作者导游，却又任你遨游。

然而我又觉得，"田园"不止是一幅音画神品。假如听来听去，只顾玩赏景物，却不曾感触到此中有种欣然蔼然、乐水乐山的情怀，又隐隐可见一人，胸襟博大，注视、谛听着造化万物；那么我说，你还是未曾得其真味。

自从听了托斯卡尼尼指挥的《田园》，后来再听别人指挥演奏的，总是"若有所失"。那气度与味道的不同，似乎常常是由于在速度、节奏、抑扬顿挫的分寸的掌握上有小出入。听卡拉扬的录音，总不解他何以要在第二章开快车，匆匆忙忙，领着大家走马观花。托斯卡尼尼的（也是作者的）那种从容，不见了！

《爱格蒙特》《田园》消除了"仰之弥高"高不可攀的顾虑。又陆续见识了一些别的大师的作品。从比较之中越发感觉到他的磁力最强。如同在群山中，人总要注视那巍巍主峰。

而《第九》又一下子把我领到了风光最胜的绝顶！这首作品，早就心向往之了，初次见面是从广播中偶然听到。是托斯卡尼尼指挥 NBC 乐团演出实况的录音，当时还不知有慢转密纹唱片，而这个录音却是不中断的。如此宏大的一座"流动的建筑"，当时幼稚的我自然不可能听明白，然而那非凡的气象，一听便产生了磁力般的效应。面对的是难以言说的庄严、深沉，可又觉得它是可亲近的，正如初读《战争与和平》的印象。

听了慢乐章开头的一支主题，何等真挚、诚恳！只觉得五内熨帖，仿佛心房受到按摩一般。但它又是沉思的音调，像罗丹的"思想者"那样沉思；迫得你也要去深思。

听着整个慢乐章展开，人像是升腾到了太空，浩浩茫茫，人虽渺小了，心却在飞扬起来，令人不能自已地要俯仰今古，要"独怆然而涕下"！

自那以后，一晃十几年过去，才有机会反复细听魏因加特纳等人指挥的录音。体会当然又不同了，但初次印象所形成的基调，始终在起作用。

"作品101"等几首晚年写的钢琴奏鸣曲，"作品135"等最后几部四重奏，至今仍不能"进入角色"，虽也硬着头皮倾听过不少遍，真是惭愧！可自慰的是，其他最重要之作大部分已经相识了。可以像回想故人的性情、举止、音容笑貌那样来回味了。

我总觉得他是个最雄辩的大师。他的思维、语言逻辑，令人信服，有时简直不可抗拒。如像《悲怆》《暴风雨》等作，假如你能在听熟之后还能到琴上去弹弄一番，即便是像萧伯纳那样，不正规地弹；由于自己参加了创造，你会更强烈地感受到那逻辑力量的势不可当。那些"动机"，短小而又密度极大，在他手下步步紧逼地展开、演进，释放出极大的能量。

听他的前人之作（例如莫扎特），是另一种逻辑，美的逻辑；而他，是力的逻辑。听他后来者之作（例如浪漫派人），更为精致了，但常有为文章而文章之感，再也感觉不到他那种逻辑力量了！有些人的作品并非不美，却似一泓不大肯流动的水。而贝多芬的乐流，虽不总是激流瀑布，也必是汩汩的溪泉，是活水。

驱动这流动不息滔滔雄辩的音乐之流的，是一股强劲的力。我之要倾听贝多芬，主要便是被这股力吸引，这也便是他的魅力所在。

固然可以从乐理上的"和声功能""曲式结构"等方面做出技巧上的解析；不懂这些"语法修辞"，也不一定妨碍你去体验这股力。这种力，单凭技艺，是炮制不出的。但也绝非天授。我信服罗曼·罗兰的说法，那是从那个大时代中汲取得来的。

我愿将"乐圣"想作乐界的摩罗诗人。他的音乐感人至深，正在于"摩罗诗力"。如鲁迅所云："作至诚之声，致吾人于善美刚劲者"，"作温煦之声，援吾人出于荒寒者"。他是以自然之天籁，发大时代之心声！

不应该只是在听《英雄交响曲》的时候才记起那个大时代。《九三年》《双城记》之类文学作品，似乎只不过在"隔岸观火"而已。而从巴士底之攻陷，到梅特涅的猖狂，贝多芬是狂风暴雨时代的见证人。

史书记事不尽可信，更无力再现历史情感。文字总是抽象的，却可以找到一种办法去释读历史情感：音乐中记录下的虽无实在之事，却有可味之情。音乐中有历史感情的化石。听前代之乐，同时便在读史，听史中人的心曲。

照这个路子去听贝多芬精心"录制"下的彼一时代的声音，在听《莱奥诺拉第三序曲》时，自己正是被这种历史感所激动了。

此曲早年听过，但只是一瞥。那年有个难得的机会去听上海工部局乐队的演奏。迟到一脚，站在门帏之外听里面的乐声。节目单上它是第一曲。20 世纪 50 年代初，偶然淘到一堆半旧的唱片，有布鲁诺·沃尔特指挥的此曲，才得以细读。

瓦格纳说，同这首序曲相比，整部《菲岱里奥》歌剧简直不算什么。恐怕并非夸大其词。

一部歌剧，为它一而再再而三制作四首序曲，空前绝后，谁有他这般认真？而况其中至少三首都是杰构？而《莱奥诺拉第三》又是三首中最精彩的。它名为"序"而如此完整，实为一部交响诗；所以论者认为，放在剧前或幕间来演奏，都是不合适的了。

听了曲中对光明的颂赞，对正义打垮邪恶的欢呼，倘非冷血动物，岂能漠然？尽管该剧还是那种邪不敌正、善恶有报的"拯救""大团圆"的套子，人们还是可以透过这些，听到更普遍更深沉的东西，永远可以同新的史实联想，注以新的激情。每一听它，便觉得置身于那个时代气氛之中，一片光华灿烂！曲中的主要主题端丽庄严，而又朴素之极。听了真是令人血脉偾张、心头发热。关键处，象征着救星来临的号声响起，只用了三个音，不可能再简单了。尽管曲中情节与此处的上下文都已听熟，可那种强烈的戏剧性屡听不衰。然后是长篇大论的欢声雷动，强音再强音，没完没了。听者如果身心投入，不作旁观，只觉得尽情尽兴，毫无多余重复之嫌。

为什么同是巨人的歌德，听了《命运》（少年门德尔松在钢琴上弹给他听的），又是惊惧又是反感？可以联想那个值得收进西方《世说》的场面：路逢一伙权贵，两人的态度一亢一卑。这显出贝多芬这位时代之力的禀赋者，绝无奴颜婢膝；而拖着庸人辫子的歌德，当然受不了那"摩罗诗力"的震撼了。

真的英雄诗篇，自然是英雄时代的回音壁。相形之下，勃拉姆斯的交响曲，不免外强中怯。理查德·施特劳斯的《英雄生涯》，技巧虽尽其能事，可那自我拔高的"英雄形象"，纵然声势不凡，反教人掩口胡卢。

贝多芬的"诗力"，从青年时便已显露。听第一和第二交响曲，一种英武的气概和前人大不相似。到他晚年，饱经世变，应该"醇化"了，可是听《第九》，又何尝有衰竭之感？他胸中还是一团火。第一章惊天动地，一波一波，十荡十决，真如指挥他的音响大军打一场超过波拿巴的决死战。这当然不同于《一八一二年序曲》中的战斗场面，但是比实战有更大的震撼力。（打个岔。他也有描摹实战之作：《惠灵顿交响曲》。当年热闹过一时也就束之高阁了。人们有耳福，今天还能一赏这部庸俗之作，卡拉扬指挥的。其实，不听也罢！这岂不也可证"乐圣"不是圣人?)《第九》中感人至深之笔太多了。例如在第一章的"激战"中，忽然透出一支主题，特别感人。那是"副部"开始处的一支主题，英国音乐家托维说它"慰藉如歌"的。说它"如歌"，不如说它"如话"，真乃明白如话，却又感人肺腑！叫人只能感叹"不可说，不可说"了！所谓"宇宙间之至文"，《第九》等作是完全评得上的。将其录音作为地球文化代表载入1979年发射的宇宙船，持赠外星世界中人，也是完全配得上的。

自从中国知道有其人，不同的译名出奇的多：悲多汶、裴德芬、贝德花芬（徐志摩用过）等等，最怪的是"白提火粉"，王光祈译的。现在又有"悲多愤"，好！他悲天悯人，他为人间的不平而愤，他自己是个悲剧人物，而又发愤著乐。

悲与愤，长燃他心头之火，这两字，为巨人画像点了睛，"传神正在阿堵中"！

巨人常被圣化、神化，他也在劫难逃。新中国成立那年，收到远地邮来的一本大书，不胜惊喜。是友人费了大劲帮我借来的《音乐的解放者悲多汶》。可惜没啃完便只得寄还了。（那译文也实在"艰深"！）

美国人夏弗莱这部大著，据说是继《音乐的创造者贝多芬》《音乐的战胜者贝多芬》两部"贝传"之后的又一"里程碑"——也可谓"贝多芬神话"的"里程碑"！其后，"贝多芬学"发展，神话热降温，学者们要让圣者返璞归真。可怪者，力图做到这点的泰耶尔，以寻根究底的精神搜罗抉剔了大量资料之后，发掘出他不愿正视的某些史料，正写着的"贝传"，中途搁笔了。

可见，我们还是以凡夫之心去平视他为妙。不但可以直道所感，又为何不可议论其所失？《惠灵顿交响曲》这种作品大可不写。即使是那些杰作，难道就都完美无瑕？《D大调小提琴协奏曲》的末章，我有时略去不听。《皇帝钢琴协奏曲》，自是辉煌，但多听便觉得有欠深刻，还不如第四首协奏曲。《命运》了不起！也总感到末章终曲无乃把话说得太长了，前三章的咄咄逼人反而淡化。即使对神圣的《第九》，也不是"无毫发遗憾"的。前三章立起了三座山，到了压卷的一章，我们期待着一个新的高度。为何作者始终有个想法，要改写最后这一章？可知他自己是不完全满意的。只可恨这也许更善更美的一章，连同他酝酿的《第十交响曲》甚至《第十一交响曲》交响乐，一同入了土！如其要排一排古来有哪"十恨"的话，这无论如何是一大恨！

人之黄昏

瓦格纳的乐剧《尼伯龙根的指环》，最后以《神之黄昏》收场。写这部乐剧的他，自身不也有个"神之黄昏"？原先对他视若神明的尼采，同他分手，反过来揭露了"神"的虚假性。

历史上，还有一些其他的"神之黄昏"。

贝多芬生前倒并未成神，只有一个"人之黄昏"。临到暮年，他的音乐不为时人所喜了。一来是因为罗西尼们的歌剧风靡一世，二来是因为，他的音乐进入了新境界，有遗世而独立之趣。但贝多芬身后，虽曾几乎被淡忘，接着又被重新发现，而且愈来愈受尊崇，乃至过火到也成了神与圣了。所好，神终于复归于人。正因是人，读其传——肯于说真话的，也就不难发现不少并不高尚可敬之事。

其中对金钱的计较，事例不少。比方，在他向出版商斯坦纳推销已作钢琴奏鸣曲"作品101"的一封信中写道："只要有六十枚硬邦邦响当当的杜卡（一种金币，按 1984 年价格换算，这笔钱可抵一百八十英镑），新的奏鸣曲马上搞出来。""101"是一篇重大作品，只要看人们直呼其作品编号，而不用一般的曲题，便可知其不凡了。三十二首奏鸣曲中，还有这种别名的只有"106"。当人们倾听这样的作品时，肯定不愿它和铜臭有什么沾染的吧？

那么，应该认为是全人类无价之宝的《第九交响曲》，你想他要价多少？六百弗洛林（按照 1984 年的价格，相当于四百英镑）。这笔交易，他是向巴黎、美因兹和莱比锡三地的三家出版商同时提出的。

为了推销另一部纪念碑性作品《庄严弥撒》，他更是煞费苦心，采取的办法是亲自致函欧洲各国王公与名流，征求预订，这么办可以免得印（或抄写）出来卖不掉而蚀本。这批信件中的称呼以及信件如何呈递才合适，都很需要仔细斟酌一番。那段时间，我们的大师深深陷在同宫廷间文牍往还的烦冗事务之中，而且与此同时还得跟七家出版商分头洽谈。

人们会感兴趣的是，这批通信征订的对象当中有歌德和凯鲁比尼。后一位乐坛大名人，贝多芬对他非常倾倒，称之为当代最伟大的音乐家。给二公寄去的征订信都写得谦卑，可叹的是都不见回音。歌德在日记中明明记下了他收到此信。

1815 年，臭名昭著的维也纳会议时期，贝多芬名利双收。由于参加庆典交际活动，得了四千古尔登银币（按 1984 年价约合两千零八十英镑）。

那是个什么年头？奥匈帝国的秘密警察活动猖獗，侦查对象家里字纸篓中废纸也由佣人天天呈交警方。共和主义者贝多芬耳聋心不聋。在他那"谈话册"上有一条手迹："另找时间再谈，密探汉式尔在此！"

说到晚年贝多芬，"谈话册"是不能不提的一大话题。他不得不借助纸笔同人对话了。从1818年到1827年去世，这种册子累积下四百本。其中大部分只是对方的话，除非在公共场合贝多芬不便明言的话才写出来。但后人今天仍旧可以从这些本子上了解双方的交谈。假如"谈话册"完整无缺也未经窜改，那十年间的记录抵得一个大人物的电话录音和席间交谈的实录；再辅以信件、手书等等，要再现当事人的生活细节便足够用了。可气的是，他的门人兼秘书（有时还兼杂役）的辛德勒，偏偏干下了大逆不道之事，不但销毁掉三分之二，更塞进了他自己编造的私货。弄得这份价值连城的原始资料变得难以尽信也不足为据，并且淆乱了是非。对于贝多芬崇拜者，这位大学生、小提琴手，也是贝多芬传记早期作者，真可谓"其罪上通于天"矣！

似乎也不好一味责怪辛德勒。还在大学里读书时他便成了梅特涅的叭儿盯梢的目标，因而心有余悸。删改"谈话册"，原因之一正是当时的政治气候。但还有一部分与之无关，也被削去。辛德勒说那都是琐屑之事，则我们有理由推测，可能是他怕有损其先师形象尊严的内容。

其实，也许正是这种不加矫饰的言行，对于后人感受贝多芬的性情，让这个"人"活起来，有很大的价值。

这样的资料，幸好他还未能芟除尽净。

贝多芬确也操心于种种好像是不值得一位"乐圣"一顾的事物：住房、听差、饮食、新式磨咖啡机、可托住下部的游泳带，乃至床垫子里要重换填充物，老鼠夹子上的诱饵要添新的……他还对一种新产品无臭马桶发生了兴趣！

从他的好读杂书也可知其思想与兴趣之多面。"谈话册"中有他的"欲读书目"，其中包括了烹调、植物学、禽鸟学、马车制造、旅游、医药。人们也了解到，这个人涉猎了康德和谢林的高深的哲学著作，虽然他连乘法都搞不清，计算 5×17，只好把 17 连加 5 次。

莎士比亚，他恐怕读得并不多，但在他用的摘句本上，荷马的诗句抄了不少。对荷马描述日常生活细节之生动，大为钦佩。

虽已近"黄昏"，且遭时人冷落，他雄心犹在。死前四年还曾告诉别人："我已经写的，并非自己最想写的。写这些，无非是要钱用，不过这也不是说我写作只是为了钱。等过了这段时间，为了乐艺，也为自己，我要写《浮士德》！"

遗憾不遗憾，不仅他终于未能了此宏愿，而且《浮士德》的作者对他的这个愿望竟是那么冷漠！（歌德所期待的人是莫扎特。)

恐怕,最显得"人"与"神"之不和谐的画面是在《第九》行将脱稿之际,他却面临着一场家庭官司。这在"谈话册"上留下了印记。辛德勒用笔同老师"耳语"道:"女佣人对我讲,她家太太手拿通火条,守在门廊中,准备用它对付您。我不知所措,只得编了个谎,骗您说令弟想睡,不能见您。"

此处牵涉他弟媳。他看不起这婆娘,所以在他想去弟弟家探病时,几乎演出一场闹剧。

如此欠雅的小市民气,同无比崇高的《第九》,岂非构成了人间的奇特的别一种交响?而此种精神上的地狱,不也更加反照出《第九》之诞生真正是一种奇迹?

其实这部伟作首演之日的情景,也绝非如《欢乐颂》里为之高唱入云的那种和谐。当时,"谐谑"乐章奏到定音鼓戏剧性地插进来,这前无古人的手法,立时博得掌声如雷,把演奏也打断了。"再来一遍!"买不起好票的后座听众禁不住喝彩了。待到掌声第五次爆响,临场督察的"警犬"也狂吠了:"肃静!"

然而也真有点讽刺味,贝多芬动不动便想去找警方来处置他同别人的纠纷,这种脾气真是很不那么民主了!对听差是如此,对亲属他也如此,听到弟媳品行不端,偷人养汉,他便曾诉之于警方,要求干涉。

对于王公大人，他不屑效歌德之低首下心，这是美谈，然而对佣人这般粗暴，又很不像个向往平等博爱的公民。有个场面，辛德勒是在场目睹者，简直应该收进西方《世说》。那次他一进老师家门，只见两个仆人都溜了。原来夜间有过一场大吵，闹得四邻不安。起因只是夜餐难以下咽，便把已上床的仆人叫将起来训斥。辛德勒等只听见房门紧闭的卧室里，哼唱夹着咆哮与顿足之声，乐圣正唱着一段自己写的赋格曲。

仆役都是些混蛋，一无例外，这就是贝多芬的看法。他有时甚至并不顾忌动拳头，也不管人家是男是女。用现代人眼光看，最不堪的是他让佣人相互监视。他写信给某夫人，请其协助训练女厨子以对付管家的。"将不时予以奖赏，惟此事切勿使其他仆役得知！"

撕毁《英雄》题献词一事，美谈已成常谈。其实并不足以完全说明他对拿翁、对民主共和的态度。因为，后来他对波拿巴的看法又有改变也是事实，而人们或无所知，或避而不提了。1809年他在维也纳指挥了一场音乐会。那位法国皇帝原定要御驾亲临的。对此人，他纵然不像歌德那样保持着永远而且绝对的崇仰，却也怀着一种钦慕之情。1809年一位造访过他的法国军官告诉人："他几次向我谈到皇帝了不起。我以为，假如皇帝把荣誉军团勋章颁赐给他，他必定引以为荣。"

如果认为此话出自拿破仑部下之口，难以尽信，则在1801年，贝多芬的确曾有意于将《C大调弥撒》题献给皇帝。

而且后来又曾对车尔尼说过："此人，我曾觉得受不了，不过现在的想法不同了。"当时是车尔尼陪他上咖啡馆，刚巧一份报纸上有司各特《拿破仑传》的出版广告。车尔尼指给他看，他说了这番话。时为1824年，"滑铁卢"已过去快十年了。

也就在这年，复辟了的路易十八收到《庄严弥撒》征订函后，答赠金质奖章一枚。贝多芬似乎灵机一动，马上写给《维也纳邮报》一信，建议发表一篇报道："发此消息，对鄙人与法君均有价值。此举足以显示，他乃一位慷慨的君主，也是有教养的人。"

有关《英雄》题献问题这桩公案，斯特拉文斯基说得最干脆：题献给谁又有何干？最重要的在于他的作品！

在贝多芬晚期之作中，有些不协和音，刺耳得厉害。论者以为：像这样一个聋子在心想其乐时受得了的，许多听神经健全的人都感到吃不消！

贝多芬本人，不也正是一种响彻了不协和音的奇妙音乐？

无形有相

有人试过，让印第安人听西方音乐，最受欢迎的竟是莫扎特云云。而年轻时的我竟听不懂他的音乐，只觉得平淡无奇。后来慢慢品出味道来，这座山峰便在心目中不断升高。

读其乐，从莫名其妙到其妙难言，这事还同一个问题有关：标题乐与"纯音乐"。

初知乐趣，只觉得标题乐中风光无限，听那无背景的"纯音乐"，失去了向导，茫然寻不着路。但是跟踪标题有时也并不轻松，有点被动。联想不合辙，思路不通，便像一部小说缺了页。听标题乐久了，发现了莫扎特，有进入新天地之感。

这新发现开始于听《G 大调小提琴奏鸣曲》(作品 K.301)。既无文学性标题可资联想，自然便只好去直面那音乐的本文了。感受与思索的方式也起了变化。头脑放松了，自在了，这样也便让那音乐俘获了。

在其小提琴奏鸣曲集中，这首 1778 年之作只是个小弟弟，短短两个乐章。在这种室内乐性质的场合，提琴也换了腔调。既不像拉协奏曲时那么过火，也不像奏小品时的卖娇；而是朴素而自然地吟唱。钢琴如同双人舞中的一员，一搭一档，十分妥帖。整个儿是活泼泼一派生机的流动。勉强打比，像一对天真烂漫的小孩子在专心致志地玩耍，叫人看得心花怒放，"恨不得一口水吞下去"！

这是解脱了视觉的拘束，陶醉于音乐自身中所体验的一种"狂喜"（ecstasy）。

他有一首《长笛竖琴二重协奏曲》，听时也有此体验，虽然此曲并不受人重视。

这两种乐器他并不喜欢，撮合在一起是事出偶然。那时他在巴黎，曾上一个伯爵家教小姐学作曲。父女俩是这两种乐器的爱好者（竖琴一度成为富贵人家流行家用乐器）。此曲便是应约为他们写的。听上去毫不复杂。看总谱，也不见密密麻麻的音符。显然照顾了贵人的业余演奏水平。有段佳话人所共知：奥皇嫌他用的音符太多，他顶了回去："陛下，不多也不少！"听这首协奏曲，虽有点委屈了本来大可炫技的长笛与竖琴，你并不会嫌音符少了。但要我描述自己的感受，却苦于词穷语塞。其实这也正该是"无标题音乐"题中应有之义。

他留下大量的协奏曲。论者以为，其中最好的若干首，可以同他最好的交响曲相提并论。协奏曲中，又数那些为钢琴而作的最精彩。

那时候，钢琴还是种新兴乐器，刚刚取代了羽管键琴的地位，但是自身尚未发育成熟。莫扎特当小神童时，起先弹的还是羽管键琴，1764年到英伦，才初次接触这新乐器。即便后来他所弹、也为之作曲的钢琴，音域也才同今天我们小学里的簧风琴一般，只有五个八度六十一键（现代钢琴七个八度还多一些）。踏板是"钢琴之魂"，当时也不完善。要同当代的钢琴比音量，莫扎特用的琴像个小孩子。比音色则各有千秋。当时管弦乐队也处于青年时代。就连单簧管这样重要的角色也多亏他的赏识才受到重用。

以这样的"发展中乐器"为表现工具，他谱制了许多神奇的乐章。今日的钢琴与乐队，当然可以再现和发挥其意图，也有些好古求真者主张，用当年那种乐器才能表现他的风格，更够味。

二十几首钢琴协奏曲中，后八首最成熟。如第二十首d小调的，19世纪以来演奏得最多。一听便叫人想到贝多芬的音乐。贝多芬也深赏此作，不但演奏过，还配了华彩乐段。

第二十一首（C大调）由于有部电影配乐中用了一段而大为风行。其实它那稀世之美还要靠广告招徕？听那慢乐章时，我像走进一座殿堂，庄严静穆，不期而然凝神敛息，从心底欢喜赞叹。

有人说这些协奏曲要当歌剧来听。如果作为比拟，那我看第二十五首（K.503）可说最像歌剧了。第一章里有的地方像

《费加罗的婚礼》中一幕将终时的多声部重唱。七嘴八舌，汇
成一片喜剧气氛的高潮。第二章"行板"，很可以当作一首女
主角声情并茂的大咏叹调来听。

古典协奏曲与歌剧之间是有渊源的。莫扎特本来也是写歌
剧的大师。不过我想，将歌剧情景套在"纯音乐"上，好像又
把它变成了更实在的标题乐了。我于是只去沉浸于音乐之中，
不作他想。听他的音乐，陌生时只觉得平淡无奇，老是重复一
些乐汇，像口头禅似的。相交既久，便发现那种种材料经过他
用古典风格的"格律"安排得如此顺畅妥帖，音乐成了活的图
案，活的建筑。愈熟习，愈觉其境之深。平淡化为了神奇。但
是他在想什么，说什么？这种"纯音乐"又怎么听才好？

一个古代东方的嵇康说"声无哀乐"。一个近代西方的汉
斯力克，也说音乐美与情感无涉。中国人早就形容音乐"累累
如贯珠"。汉斯力克则说人们听音乐时种种想象无非是比喻而
已。李斯特断言，一切音乐都是标题乐。反对者却抬出莫扎特
为"纯音乐"的典范。裴特主张，诗、画都应该像音乐那么
纯。萧伯纳反其意而言之，说什么音乐越向文学靠拢，越不
纯，越好。

有情还是无情？有形还是无形？有标题还是无标题……音
乐学者的论难，可把我们难住了！只得存而不问。

莫扎特的高明之处在于既为内行说法，也为外行考虑。有
封家信中谈到他刚谱成的钢琴协奏曲：许多地方只有内行才知

其妙。外行也会喜欢，只不过莫明其所以然。

我安于作后一类听众，以宽容的态度读乐，扩大"听野"。但我要学着不依赖于文学与视觉，倾听那本文，以求深入其境。

读怀素《自叙》和赵佶草书《千字文》，那飞舞的线条，黑白相生的"色彩"，尤其那一股奔腾向前的动势，真是把人魅惑了！此时，语言又何足以如实地描述心中感受！说此中有音乐，倒毋宁说它本来自有其语言。于是乐之为乐也似乎可以理解了。音乐形象的疑难也不妨从中国古来的哲学、美学中借个词来说明："无形之相"。

只是不管怎样的"纯音乐"，又怎能纯到遗世而独立？听其乐不能不想其人其世。总觉得，他那三十六年的一生虽促如朝露，却又正处在一个耐人寻思的时代。

玛丽·安托瓦内特走上断头台，莫扎特才死了两年。小神童在奥宫中摔了一跤，上去扶他起来的正是她这位当时的公主。看这蒙太奇，便可想见他是生活在一个方生未死，也是行将洪水滔天的时代。那不也是一个大有悬念的时代？

神童无非是活玩具，让贵人们狎弄。（我笔记本中夹着几十年前抄下的一份神童献技节目单。刁钻古怪到简直是折磨人！）长大成人，又成了俳优之流。穿上号衣，坐于盐瓶以下，夹在贴身男仆与厨师当中吃饭。这耻辱，海顿不得不忍受，贝多芬决不肯，莫扎特也不怎么甘心。于是大主教家管事的奉命给他屁股上一脚，踢出宫门。这一脚，未能玉成他做一名自由乐人，反而沦为卖脑汁的乐丐。如果无人订货，便只好让美妙的乐想胎死腹中。遗稿中有些只开了个头，写了若干小节便搁下了。这并非由于灵感枯竭。前述的那首二重协奏曲，订购者竟赖掉稿酬一半，理由：让你到府里教课已是天大面子！

这个不世出的大天才，五岁有一种成人般的老成，三十岁又像个孩子般调皮。这是一个不喜读书而从小便行万里路，见大世面，深识世态，尝过甜酸苦辣的人。家书中脏话连篇，喜欢跳舞甚于音乐，打得一手好弹子，又参加了秘密的共济社。

这样一个不大"纯"的人，写的音乐有时如此纯真！然而他最后也最深刻的三首交响曲，倒不是有谁订货才作的。从那下笔如有神的速度（有一说是两个星期！），足见其为不吐不快的内心冲动的产儿了。其中 g 小调的一首，第一章几乎自始至终是那三个音组成的动机的悸动，怫郁之情简直要喷溢而出。无题，其实有题！有人把它的四个乐章翻成四篇爱情故事，那便俗不可耐了。听这首交响曲的第一章，也不会不令人想到贝多芬《命运》中那响彻全章的四音主题。

中毒身亡之说早已澄清。风雪中葬身贫民墓地之事，也是被文学化了的。其实，埋骨何处等等，已是寂寞身后事。可叹的是把可能问世的好音乐给埋葬了。全集编号编到 K.626。让一个抄谱熟手抄，也得多少年才抄得完（理查德·施特劳斯之父语。他是吹了几十年的圆号手）！但从他后期作品的越发显得深刻，可知春蚕到死丝"未"尽！同他并世而早些的海顿，给他以影响又反过来受他影响。比他小十几岁的贝多芬，《第一交响曲》中有莫扎特的面影，可又分明是新的英雄气概。这正是前后浪相催相激！作为历史痴想：让莫扎特多活二十年，时代狂飙吹拂他，乐艺新潮鼓荡他，人们会听到他的《英雄》他的《合唱》，而又完全是他的自家面目吧。萧翁认为，做总结比开头难。他认为莫扎特是总结者，而贝多芬是开创者。这位为古典乐派做总结者，披襟敞怀，迎一代新风，也是很可能的吧？

他出生那年（1756年），脂砚斋正三批《石头记》。待到《安魂曲》绝笔，高鹗已作《红楼梦》续了。那时节，东西方都处在一个从"烈火烹油"朝"忽剌剌大厦将倾"质变的密云期。莫扎特的生平，后人可以按年月细编年谱。曹雪芹的一切，我们渴想了解，可又何处钩沉！一个的肖像传世颇多，尽够我们揣想其神情笑貌。一个只发现一幅，且不一定是真容。最要紧者，一个的作品有精心编订的全集，而后四十回《红楼梦》原稿，已成泥牛入海再无消息！

莫扎特幸还是不幸呢？

天才与庸人的喝彩

　　向来有"莫扎特谜"之说，谜在于其人的禀赋过人，其乐的似浅近而实神奇，等等。而今借着纪念他死去两百年的机会，又出现了"莫扎特狂"。

　　19世纪以来，莫扎特已成了许多音乐家"心中的太阳"。有的颂赞也颇带点崇拜狂的味道。当代指挥家索尔蒂说，他之所以相信上帝，原因有二，其一便是出了莫扎特这样的大天才。还说他的音乐无一句不美。

　　我也算个莫扎特迷，虽然并未因此而信上帝，也很不够资格去赞同或反对"无一句不美"。因为他的六百多号作品，听过的只是不多的一部分，是否听懂了，还大成问题。

　　莫扎特迷也好，莫扎特狂也好，想想这位大天才两百年来在听众心目中地位的升沉是很有意思的。因而又翻出百年前萧伯纳为他的百年祭而作的几篇文字来读（收在加利福尼亚大学版萧伯纳乐评集中）。

当年萧写这些东西的时候，尚无大名。要再过一个年头（1892年）才拿出他第一部剧作《鳏夫之家》，但他已写了十来年的乐评，而担任一家杂志的乐评栏——首席撰稿人也有两年了——不过，他用的是"巴赛特管"（Corno di Bassetto）这古怪笔名。它是类似低音单簧管的一种乐器，如今已从管弦乐队中"退隐"多年了。莫扎特不但为此器和单簧管写过二重奏，还用之于《魔笛》与《安魂曲》中。

从萧在百年前写的这几篇文字中，可以得知，那时的英国虽是音乐文化昌盛之地，莫扎特的作品却已从原先的大受欢迎转而颇被冷落了。到了百年祭时，才又渐渐有了票房价值。

那受冷落的情形，让萧用漫画笔法一描，读来可发一笑："（莫扎特的交响曲）演奏快板的第一乐章时，听众已烦躁不宁。呵欠连连地好歹熬过了行板乐章。奏到小步舞曲的第三乐章，猛然惊醒，发现那'三声中部'（按，为传统的小步舞曲中间一段）倒还好听，于是坚持着把最后一章听下去，反正快完了。"

那时节，除了少数的知音，庸人们已经把这个百年前人们的宠儿淡忘了。待到百年祭之年，平日不提此人的报刊上忽又把他抬出。音乐界自也不得不有所表示，应个景。"水晶宫"排出了《朱庇特交响曲》和《安魂曲》。阿伯特音乐厅则排出了《安魂曲》与《朱庇特交响曲》。

萧认为，冷是因为从前热过了头，但也要怪那些庸劣的演出坏了作者的名声，某些乐队指挥总以为莫扎特的作品容易对付，殊不知要做精彩的演绎是要真功夫的。只有在里希特这样的真正领会莫扎特音乐的人指挥下，英国听众才重新发现了莫扎特，顿时把那些正吃香的新作品给比了下去。

萧所谓的新作，也并非无名之辈的货色，而是李斯特、瓦格纳等人的大作。那时正是这类作品最有吸引力。其实萧自己便是瓦格纳派的宣传者，但他最讨厌庸人们一窝蜂赶时髦，有些人只爱听个新奇、热闹。而且像《女武神的飞驰》《魔火场》这些并非无价值的作品，由于讨人欢喜而过度地重复演奏，弄得丧失了新鲜感。萧有次因为有一场音乐会中有莫扎特作品，欣然赴会，却迟迟进场，以躲开那些时新节目。

从小便把一部《唐璜》听得烂熟的萧，对莫扎特自有他的卓见。比方，古诺认为这部歌剧尽善尽美，他便不肯附和。

萧天生是个剧作家，所以他极力主张音乐的戏剧化也就不奇怪了。他曾认为，一切音乐作品无不是标题乐。对于不去依附文学内容而只守着乐艺自身规律与形式的纯乐，他往往不以为然。对于莫扎特之不作标题乐，他认为要怪老莫扎特狭隘的教学法。老父灌输给儿子的观念是"一篇用奏鸣曲形式谱成的乐曲，只要听起来是美的、均衡的、率真而饶有兴趣的，此外不必也不容再有更多的要求"。萧因此说，假使小莫扎特未曾经过这种训练，说不定会得出自己的结论：没有诗或剧的内容，这篇音乐只不过是无益的浪费。萧又认为，莫扎特有时在其器乐作品中其实也表达了某种诗意的内容，但又徒然将才智虚耗于迁就音乐形式，而不能毅然越出乐式的藩篱。于是，这一篇作品，在不知乐式为何物的外行听来仍是一首音诗；而那些对诗与剧感觉迟钝的音乐学究们，则拿它当古典作品的楷模来教授自己的学生。

对莫扎特未能摆脱家教的束缚，把器乐曲都作成了纯乐，萧是深为惋惜的。这可真是那位望子成龙的老父绝想不到也不能接受的！为了儿子，他把父亲、教师（不止教音乐，也教文化）、秘书、剧本作者、宣传者、旅游组织者这诸种职务都集于自己一身了，必要时还得当儿子的跟班！他把栽培自己的神童儿子当成了神意、天职。

后人也有非议，说他的有些行事简直是赤裸裸的在儿子身上"开发"。他为儿子吹嘘的广告也俗不可耐。

我们还是应该接受一种多数人的看法：莫扎特的才智是老天和他老父共同造就的杰作。纵然可以埋怨他挟着孩子到处奔波，过分损耗了孩子的精力，然而假如不曾行万里路，遍游欧陆音乐中心，亲炙了格卢克[1]、海顿、J. C. 巴赫等等乐界泰斗，恐怕也就不会有那个取精用宏、融会贯通、不能以一民族的传统拘限他的莫扎特了。

至于音乐之美在于纯还是不纯的问题，萧其实自己也是徘

---

1 Gluck，现在通常译为格鲁克。后同。

徊不定的。他既崇仰贝多芬，也赞美莫扎特，对这并峙的双峰，他不能肯定哪一个更值得崇拜。有的议论很可启发我们去思索乐史中的无尽波澜。

萧提出，尽管百年前的人总把莫扎特看成一个标新立异之徒，其实，他是一代乐风的一个总结。就像拉斐尔之于画，莫里哀、莎士比亚之于戏剧。这一点，海顿看得清楚。（按，海顿曾向老莫扎特夸他儿子是当代最了不起的作曲家。）他本人虽然写不出像《降E大调交响曲》这样的杰作，但他知道其中有自己一份贡献。莫扎特是站在他肩上所以更高大。可是，海顿不可能认为自己也写得出《英雄交响曲》的第一乐章。对于那样的音乐，他甚至会摇头。

这倒又并不是抑此而扬彼。萧的看法：艺术创作最难的是集前人之大成。任何人可以开个头。难在做总结，做出后来者难乎为继的总结。

萧虽然在赞扬贝多芬的造反精神时说过：相形之下莫扎特只是个穿号衣的仆从而已。可在乐艺上他又把莫扎特看得更重。尤其是在他批评贝多芬的模仿者"无目的地故作高深""虚张声势""一味制造高潮却总叫人失望"的时候，更加倾心于"善能驾驭音乐，也驾驭自己感情，始终不失其优雅"的莫扎特了。

总结之说，有助于解天才之谜，冲淡神秘性。如果没有那个等着斯人做总结的十七八世纪欧洲音乐文化的大环境，没有乃父呕心沥血的因材施教等等因素，这个禀赋迥异常人的孩子，也只能像他姐姐（另一个神童）南耐儿那样，退化为常人，一首曲稿也没留存下来吧？

真不知庸人们的捧场、起哄，是玉成了还是几乎摧折了这个天才！看一看他十四岁那年一场音乐会的节目单，不难想象到他所受的狎弄与折磨。六个节目，全是临场即兴创作和演奏。其中一项是一首咏叹调，现场看歌词，即时谱出，自唱，自己弹伴奏。当年，同"百科全书派"人士有交往的格林姆男爵记述："音乐家把所能想得出的最难的测验都提了出来。"连英王也亲自考这孩子。萨尔茨堡大主教为了试他是否真能作曲，把他软禁了一个礼拜。

通过了这重重磨难，造成了轰动效应，他也学会了对付庸人，什么顾客给什么货。对一个如此敏感的早熟儿童，这自然有助于他领略"人生实难"（陶潜的话，原出《左传》）的滋味。

如今的种种国际比赛之类，常常令人联想到神童们的磨难似乎还在继续。有时又觉得，受折磨的何止是台上少儿。那座中评委们被迫接二连三地听门德尔松的小提琴协奏曲，往往要听几十遍之多，硬是把这部最需要保持新鲜感的作品吃倒了胃口！

可惜不能请萧再来发几通快人快语。对于种种对待文化艺术的不文明做法，他最感到义愤了。

然而，他对庸人庸行开炮又是同他那主张社会改革的一面有关系的。他虽嘲讽了赶热闹的风气，又即点明："沉闷无聊的日常生活，弄得大家去寻找刺激。只要这种无聊文化延续下去，莫扎特就被束之高阁了。倒霉的是这文化贫瘠的一代，于《唐璜》的作者又何伤！"

我觉得，萧的文章也启发人们用自己的耳朵去听莫扎特。

自从他写这几篇为莫扎特鼓吹的文字，一晃又是百年。莫扎特的知音显然是多起来了。像我这种够不上知音的，也是始而嫌其平淡，渐渐发现有味，终乃惊叹为音乐美之极致，所以读萧的文章也增加了同感。也更知道舒曼的话是对的："随着岁月的更替，我们的要求愈来愈高。我们所喜爱的人的圈子也就愈加缩小了……甚至莫扎特的阳光灿灿的峰巅，对于青年也还是高不可攀。"（《舒曼论音乐与音乐家》）

有关莫扎特的许多传说，在其身后很有广告作用。到现在，一件件被澄清得不那么值得津津乐道了。这在"谜"与"狂"的爱好者是扫兴的事。举个例子，不但萨列里下毒之说无稽（此人后来还当了他儿子的老师），连《安魂曲》的写作对他精神有大刺激也不像，临死前的那些日子，他并非怎样颓丧的。

他虽不幸短命，但当时便公认为同海顿并世齐名。身后为之作传者不少，有他姐姐和妻子提供资料。百年诞辰前后，又出了他的学术性传记。尤可庆幸的是，学者克舍尔为其作品编写了编年索引。所以凡是他的作品，曲号上都附着一个代表克氏的"K"字。

萧的话，沉痛中含着愤慨："莫扎特后半辈子那十四年，是一个极伟大的人生活于一个极狭小的天地间。"

维也纳宫廷又要羁縻他，又只叫他写一些舞曲。

有一些作品只起了个头，没有买主，便搁下了，成了残稿。

今天的莫扎特狂热中，恐怕仍然是知音的掌声不如庸人的响亮。有些人则是"吃"莫扎特的吧？

这样，百年前的文章读起来似乎并不陈旧，只可惜萧翁不能再来一篇，否则必又是醒脑警世的妙文！

未完成的人与乐

　　初听《未完成交响曲》，同时买了丰子恺译的《近代二大乐圣的生涯与艺术》来读，是一九四几年的事。至今不见一部较详的中文舒伯特传。手头这本约翰·里德的书，薄薄的，自然也不过瘾。一个只活了三十一岁却留下近千篇作品（而且还有不少散失了的）、全集四十大册的人，只用一两百页来交代他的生平，就像是交响乐简化为小曲了。好处是此传较新（1978 年），纷纭的旧说已淘汰澄清，只叙不议，重要情节介绍得清清楚楚。其中的图片，许多是老相识，不过是很模糊的。现在看了印得如此清晰的，大有助于联想当年情景。须知这些图片虽然不是照片，却是可以作现场报道观的，是其好友们以亲身目睹为依据所作的画。总之，对于醉心舒伯特其人其乐的我，慰情聊胜无，于是在舒伯特音乐的"伴奏"下又有了不少杂感。

　　虽说小如《小夜曲》，大至《未完成》，在中国的好乐者中已经普及，我总觉得人们同他的音乐相知还不深是很可惜的。他那音乐是一种特别富于友情的音乐。读其传，味其乐，形成一个突出的感觉：其人可友，其乐可亲，而且对于这位再过五年便两百岁的大师，不觉其古，今天反愈觉可亲了。这感情倒不是无端而来。舒伯特那时代，平民们的音乐生活中颇有些新东西。不同于以往的以贵人为主角，以宫廷、教堂为作乐场，平民知识者的聚会交流大大热闹起来了。以诗以乐会友，诗人、乐人向他的朋友知音展示新作，"舒伯特帮"正是这种典型。

多谢他的画家朋友为后人留下写真，当年这种文艺沙龙场景，看了如临其境如闻其声。有一种热烈亲切但又真诚严肃的气氛，也充满真挚的朋友之情。能不令我们神往！试看希温德所作《舒伯特晚会》（这种晚会以演唱他的作品为中心，故名）：一大帮青年人挤在不大的房间里，椅子多让女客坐了，许多人站着。本应突出的核心人物被夹在二友之间弹他的伴奏。身旁那个昂着头唱他的新声的是歌手伏格尔，舒伯特的扬名是多亏了此人的。满屋子的人都专注地倾听，有些人面有陶醉之色。关于后来李斯特献技，崇拜的仕女们为之神魂颠倒的场面，也有我们熟悉的绘画。这二者的气味不一样。"舒伯特帮"中，作曲家无哗众之态，倾听者有爱乐之忱，更像是朋友、知音的交流！

从他的音乐中，从短短几分钟可了的《瞬间音乐》，到

"长得要命"（舒曼语）的《C大调第九交响曲》，也都可以感受到这种自然流露平易近人而又耐人回味的特色。他那作曲的神速，似乎还胜过了莫扎特。音乐有如泉涌，不暇雕琢。这也许影响了对乐想的锤炼和乐式的完整紧凑，因而他的大型乐曲往往显得散漫、啰嗦；然由于是从他胸臆间流淌而出，也便更容易注入听者的心怀吧？

　　这种最宜于朋友间亲切交流的风格，尤其渗透于他的室内乐性的作品之中，例如艺术歌曲。

　　同是抒情，歌剧与艺术歌曲味道两样。张爱玲形容歌剧中的情感好像放大镜下的事物。更适合于抒细腻微妙之情的，是艺术歌曲。音乐与诗的亲密结合，凡是对二者都爱好的人，这应该是一个极有兴趣的话题，更何况中国的诗词古来同音乐是那么难舍难分！在西方，这种结合中碰到的问题不少，不是那么不在话下的。舒伯特诚惶诚恐地把《魔王》呈献给原诗的作者，后来连个例行公事的回音也没有，令人叹恨！尤其歌德并非不知乐（虽然被认为趣味不高）。但有一点缘故不可不知。他那一代人认为，歌曲中音乐只能是诗的淡淡的衬托，当陪客，不可喧宾夺主。因此要他赏识舒伯特采取加强乐艺的作用，使诗与乐相辅相成的努力是困难的。

　　尽管遭冷淡，老师萨列里（即有害死莫扎特之嫌的那个人）也告诉过他，歌德的诗难对付，舒伯特歌曲中用了七十三篇歌德的诗。其中，评家一致激赏无异辞的是《甘泪卿纺纱歌》[1]，词取自《浮士德》中（郭沫若译文，题《我的心儿不宁》）。此歌出名在《魔王》之后，作曲在其先，是一个十七岁少年的天才之作。只消翻开歌集，便知其音乐是何等简约。歌调像支民谣，钢琴伴奏也朴素无华。然而他的音乐不是诗句的陪客，钢琴也不是人声的陪客，它们一同承担了传达诗中情境的任务。所以，说是伴奏，还不如说是人声与钢琴的"二重奏"更恰当。就在这篇纺纱歌中，琴声"唧唧复唧唧"地不仅写了景，景中亦复含情，单调的律动加重了我们对甘泪卿内心烦忧的感受。（我联想到汉朝诗《悲歌》中的那句"肠中车轮转"。伴奏不仅写了纺车的转动，也暗含着"肠中车轮转"。）

有那么一处最为评家称道的警笔：曲中人唱到中间，忽然，"不闻机杼声，惟闻女叹息"，纺车停下，歌声暂歇，钢琴上那个和弦却透露出少女的心潮乍涌。于是唱出了她最动情的一句歌词。然后纺车有点结结巴巴地重复摇起，……论者盛赞这里"有音乐中最为雄辩的休止！"

总共不足一百二十小节长的歌曲，演唱时用不着布景道具和动作，却能使倾听者的心不知不觉与甘泪卿一同跳动了。舒伯特的音乐对诗意的阐发，效果之妙溢出了原诗的文字。美国乐史家朗氏以为，老歌德会为诗人的所有权担心了！（见《西方文明中的音乐》）从中我们也领略到舒伯特笔下诗乐综合艺

---

1 *Gretchen am Spinnrade*，现在通常译为《纺车旁的玛格丽特》，下文出现的《甘泪卿纺纱歌》也为同一曲子。

术的魅力了。他的文学修养比莫扎特和贝多芬都强，这又自然得力于他那一群知交的熏陶。其中诗人、画师、演员、歌手都有，所以他为之度曲的很多是好诗。不过他也从小诗人中物色到好歌词。《磨坊女》与《冬之旅》都是谱的缪勒的诗，平庸的诗附在美妙的音乐上而共同不朽了。词庸而曲美的事，在中国又何尝找不到例子。在西方歌剧中恐怕更突出。诗乐互补，也互相牵制欣赏者的注意力，这就又同接受者有了关系。作歌者要将诗、乐综合得好，已是艰巨，舒伯特的高峰，后来者并未超迈；而我们听者如何才能一同咀嚼那诗与乐，且能将其合而为一来领略，也未必容易吧？非常可惜的是，我们虽说从舒伯特作品中多少感受到音乐之美（抽掉了诗，有些仍然是"音诗"。所以李斯特拿他的《魔王》《小夜曲》等改编为钢琴曲，我们听着就像"无言歌"了）；然而，不识歌德、席勒、海涅原文，体验不到原诗语言、韵律之妙，终是缺陷，只好期待更好的译文。然而一篇信达雅的译诗，要镶到乐曲上，与原诗韵律吻合，也好唱，又成了难题！

也正因此而更叫人盼望中国诗与乐的结合。中国人欣赏自己的诗与乐，隔阂不大，综合之美又将给人何等亲切无间的感受！徐志摩的诗、赵元任之曲，《海韵》不就是一个好例子？可惜早已成了"克腊昔客"（Classic）！黄自的作品中却有词不称曲的遗憾，例如《长恨歌》。后来大兴群歌群唱之风，也是一种诗乐结合。然而那要求作更细腻抒情的艺术歌曲却始终不振。在个人回忆中,《一个黑人姑娘在歌唱》(艾青诗,杜鸣心曲)似乎成了"绝唱"!

虽然有赵元任等的实践,朱自清等的议论,新诗同音乐竟"老死不相往来"似的,连自古相传的旧诗咏哦调都用不上,诗家同爱好者彼此只靠视觉和难得的朗诵来交流、共振了。新诗如何"载歌之翼"(一首海涅诗、门德尔松曲的歌)而飞向更广大的人群?诗人卞之琳的名篇《断章》,视读美不可言。据说有冼星海谱的曲,可惜至今不得一读。真想知道这首看上去无法音乐化的诗,他是怎样处理的!(后来虽然觅得此谱,却唱不出味道。)

回顾自己同舒伯特的"交往",是从听《未完成》开始的。当时虽极无知,却也感觉到了它和贝多芬的交响曲是那样的不同。人们对它听得太耳熟,可能反而很少去想想它的不凡之处。切不可忘了,1822年的这部作品,竟是比贝多芬的《第九》早一年出世的。而这两部交响曲真像是两个时代的人写的。也可见,他虽然那么羞怯,简直不敢对他的前辈作平视,同居一城中,碰头的机会不少,却直到贝多芬病危才去病榻前见了一面,随后又成了三十六个火炬执绋者中的一员;然而他又是这样的不肯亦步亦趋而敢于自抒其性灵!这部色彩瑰丽的"大乐"(交响曲早期的中译名)真是道地的浪漫派音乐。前无此作,后来者也难以为继了。因为虽然他为浪漫派交响音乐开了个好头,但后人的交响思维常常不得不去借重文学了。而《未完成》又何尝使听者要乞怜于文学形象，编一个"标题"？也难怪有的论者说，它表现的是作者的幻想世界了。朗多尔米在其乐史中给舒伯特的笔墨不多。但他有一篇《舒伯特与贝多芬比较研究》（有傅雷遗译，《音乐译文》1980年第六期）很可一读。不过此文中把舒伯特看作一个超脱现实的艺术家，则又似乎难信。我宁取朗氏之说："他所结识的是一些不满现实的文人""逃到了他们的自己的诗的世界，在那里他们能自由地表达他们的思想"。其实人们只消记起那是梅特涅猖狂的时代，他同他的朋友尝过铁窗风味，他的朋友遭到流放等等，也就够了。

　　《未完成》在故纸堆中沉睡了四十三年之久，世人才听到它。已完成还是未完成，也从此成了学者们探究的课题，直到前些年他一百五十周年祭时还又提起。从交响曲写作的常规以及留下的谐谑乐章残稿来看，自然是"未完"有据。有人的推测是：后二章是有的，被误放到别的作品中了。戏剧《罗莎蒙德》中的间奏曲，有一篇可能便是《未完成》的第四乐章云。颇有意思的是，从19世纪以来，有人为之续完。1971年还有这种"红楼圆梦"式的尝试。这种多此一举的尝试令人想到浮吉尔遗稿中残句，"后人搁笔不能足成"（钱钟书语）。

　　较后出的看法是，作者自感"意尽"，无意再写下去了。所以朗氏主张，应该把原来那个不恰当的曲名取消。这又似乎可以联想到《红楼梦》，后几十回是迷失，还是作者有意搁笔呢？

其实舒伯特的"未完成"又何止这一部。确实未能完成的交响曲便有两部。其中一部只有草稿，便得了个"草稿交响乐"的曲名。还有一部《加斯腾交响曲》下落不明。一篇弦乐四重奏也叫作《未完成》。还有一些断简残编。所以那以勃拉姆斯为中心编成的四十大本全集并不全。1978 年开始发行的五十一张 LP[1] 唱片恐怕也如此吧？

在有关他的若干附会之谈被澄清的当中，也有不幸的新发现：他是染上了花柳病的！有人还据此推想，《未完成》也与此有关，因为得病与写作同时，后来不愿再引起回想，遂不再写下去了。这真是："斯人也而有斯疾也！"

比莫扎特还要短命的他，带着那么多来不及动笔的乐思长眠地下了。墓碑上题着"……埋葬了更美好的希望"，舒伯特正是一部更伟大的"未完成"之作。

【附记】

2002 年出版于德国的一本舒伯特作品选中有一则有关他的交响曲作品的信息：

研究者指出以前人们以为已失踪的《加斯腾交响曲》，其实就是原列第九的《C 大调交响曲》。现在重现编排，《未完成》应是第七（原为第八），而《C 大调交响曲》改为第八。

1　Long play，又称黑胶唱片，是立体声黑色赛璐珞质地的密纹唱片。

人如其乐吗？

　　滑稽作家吉洛姆写的一篇小说中，几个姑娘议论舞会中的男客无聊，开口不离几句听厌了的套话：您爱听瓦格纳吧？

　　这倒正好可以为马克思的家信做个注脚："到处都用同一个问题折磨人：您对瓦格纳的看法怎样？这个德意志普鲁士帝国的音乐家十分特别的地方是，他同夫人、毕洛夫、李斯特四个人一起住在拜罗伊特并且情投意合……真是想不出比这个家庭及其相互之间的宗法关系更合适的奥芬巴赫歌剧脚本（以上四字原文黑体）了。这个小家庭的趣事也可以用类似《尼伯龙根的指环》的四部曲来表现。"（1876 年 8 月给大女儿燕妮的信）

　　就是此人，在 19 世纪奏响了贝多芬以后最吸引听众的音乐，可同时也制造了好大一阵聒耳的噪声。拥瓦派，反瓦派，大起纷争。偶像迷，朝圣狂，把一些"上智"和一大群"下愚"都卷了进去。难怪马克思要发辛辣之言了。（何况他也身受其"害"。1876 年 8 月 19 日他从纽伦堡写给恩格斯的信中说："店主告诉我们一个很坏的消息，我们在其他地方未必找得到一个歇脚的地方，因为市里住满了外地人……许多人从四面八方涌到这里来，要去拜罗伊特参加国家音乐家瓦格纳的愚人节。"）在那个复调性强烈的时代，此公更是个复调性强烈的人物，其人其乐都响彻了复调。

历史的喧哗早已销声，而余响依然不绝。前不久传来一条新闻，以色列为他的音乐开了禁。人们记起，反犹的此公写过《音乐中的犹太主义》，连门德尔松的作品他也见不得，害得当时尚未和他决裂的尼采不得不打消了一次同门氏有关的活动。想到后来纳粹的禁门氏之乐，倒门氏之像，则可认为，以色列人厌闻希特勒宠爱的瓦氏的作品是以直报怨吧？

瓦格纳竟会胡说他的论敌是犹太人。汉斯力克反唇相讥："凡是他不喜欢的人他都愿意看作犹太人……对我说来，跟门德尔松和梅亚贝尔在同一柴堆上被瓦格纳神父火焚，将是一种光荣，可惜我不能接受这个荣誉。"（《论音乐的美》第一百二十二页）

年轻时从托翁《艺术论》中读到他看《指环》演出，不终场而去，我大为纳闷。几十年间断续听了他的若干重要作品，对其乐其人是喜是憎却仍一言难尽。

《黎安济》序曲未脱前人窠臼，未能使我对作者有多大敬意。《漂泊的荷兰人》《汤豪塞》与《罗恩格林》等歌剧序曲

（前奏曲）虽然有了鲜明的个性也不曾使我着迷。后来（按创作年代来讲）提前欣赏了《女武神的飞驰》，像看一卷浓墨重彩的工笔油画。天上的风云雷电却神似人间的自然实景，虽听不出天马行空的规定形象，那循环往复地高奏着的主导动机倒叫人联想起中土神话中的雷车轰然驶过；气势宏大，元气淋漓，管弦艺术精妙，有它，还需要什么舞台布景呢？而它只不过是乐剧《指环》的一支插曲，那么整座大厦的巍峨壮丽自然更是令人神往了。

《林涛》是《指环》中的又一景。写齐格弗里德漫游林中的场面。托翁怫然离席，正是演到此处之际。我听《林涛》，觉得他大不该错过这样赏心悦耳的一篇音画！不要说旧俄的史苏金，就连法国的树林诗人柯罗，恐也难画出这活的、会轻声细语的森林！我听了这篇音乐，信服作者有诗心画眼，有"自然之舌"，是大手笔！

《齐格弗里德田园诗》不属于《指环》而其意境与《林涛》相近，但更为深远。仿佛听得出有个景中人（作者）在沉思。可以想见，这个人也并非一门心思追名逐利的。它像文艺复兴时代的画家的画，听着又像是隔着暮霭遥望一片古意盎然的实景。

我对作曲家大有好感了！然而一曲《情殉》[1]才使我真正感

1　又译为《爱之死》。

受到他的魔力。

当年是从旧货摊上淘到这张唱片的。此曲原是《特里斯坦与伊索尔德》中一个唱段，又改编成了管弦乐曲。全剧的前奏与《情殉》合并演奏，已成音乐会常规。

这是一篇叫人不想多听的音乐，然而并非因为它没味道，正相反是太浓烈了。你不得不惊叹这"老狐"的伎俩不凡。

托生于中土的我，自知所感受到的一定大大打了折扣。我们文艺中自古以来的国"情"多是温柔敦厚而不取激情。至于平民百姓，知堂的友人在谈搜集民歌一事时说得沉痛："殉节是屈指可数的，殉情则罄竹难书。一首首的民歌小调中深藏了不能计算的血泪……"闻一多也说："我在'温柔敦厚，诗之教也'这句古训里嗅到了数千年的血腥。"可惜的是这斑斑血泪未能经过有情的作曲家提炼成深刻的乐章。"伟大的忍从"，"太上"的忘情，自欺欺人的大团圆，是不是大大淡化了我们的激情，以致我们会感到《特》剧这种音乐费解、逆耳呢？

我觉得，以表现激情而论，在我曾接触的文学艺术作品中，这篇音乐最能叫你体验到一种最深沉的震动。我常想对那些爱读激情文字的朋友说：听听《情殉》吧！

《特》剧是与《恶之花》同时问世的。尼采说它是"化为音声的激情"。乐史家朗氏在其《西方文明中的音乐》中直斥之为"色情之乐"。我并不觉得它已堕入恶趣。只要是严肃真诚的乐艺，那就不会让庸人获得低级趣味的满足，而一旦降到那水平，音乐之美还存在吗？

瓦格纳的高明之处也正在于他发挥了乐艺所特有的净化功能吧？他将这篇从悲苦中追求极乐的"狂欢诗"发挥得淋漓尽致。从音乐中仿佛可以体验到恍惚、迷惘、战栗……昂奋、狂热等等层次不同的激情，而又都得到了高妙的艺术表达。

最有味的是，这一部乐剧的"十月怀胎"是乐在先而词在后。早在作剧之前三年，他已将心中浮现此剧的音乐一事透露给了李斯特。后来又给维森东克寄去几段谱子，仍是有乐无词。这部乐剧在他心中原本是一篇"无言歌"！——当然，这又不同于我们古来的倚声填词。

本来，言语道断，音乐开始，他这孕育过程却翻了过来。朗氏和另一位乐史家朗多尔米都指摘此剧的剧词不行，但又说，实在也无须再去听那剧词了。

这部乐剧一面高歌炽热如火的恋情，一面却又是夜与死的礼赞。罗曼·罗兰形容得好，它的音乐始终如悲风鼓浪，呜咽地拍打着。这是情天恨海，一望无际的灰色，行将没入更浓密的黑夜，然而那却是殉情者一心向往的"安乐死"。也可联想鲁迅文章中的警句"沉酣于大欢喜和大悲悯中"。

太无生趣了，何堪多听！幸而我随后便听到他的《名歌手》序曲，从"死之岛"回到了光天化日之下。

他是在营造《指环》四联剧的当中，忙里偷闲写出了"特"剧，紧接着又拿出与前两部作品迥然不同的《纽伦堡的名歌手》。此公的胸中丘壑真令人莫测！《名歌手》全剧的精华浓缩在一篇十分钟可以听完的前奏曲里。这篇音乐的密度很大，高潮部分有五支主题交织出壮美无伦的交响性效果，而又逻辑分明，并不太难追随。这叫人想起他为之极力弘扬的贝多芬，也可见他并非摇旗惑众的艺术骗子。

至于他毕生事业的丰碑，《尼伯龙根的指环》，我辈凡人恐怕很难有路德威国王那样的耐性连听四夜，而不像托翁和尼采的中途退席吧？人们今天宁肯赴音乐会去听听《林涛》《女武神的飞驰》《魔火场》之类的管弦乐选段，用自己的想象来"补景"，也不大想欣赏那舞台效果和成了乐队附庸的人声歌唱了。（托维认为：听音乐会中瓦剧选段，所得胜于看沉闷的全剧。）他要革旧式歌剧的命，因此在乐剧中不让剧中人有太多的自我倾诉，却絮絮不休地用乐队作"旁白""评述"，让乐队执行类似古希腊剧场中歌队的任务。结果是乐队夺了人声与诗歌的权，乐剧成了附有"图解"的交响曲。人们不是可以索性撇开舞台，只听那精彩的旁白吗！而他精心设计的地下乐池，原为了不让乐队干扰观众的视觉的。有人说这传递主要信息的管弦乐是个木偶剧的操纵者，同时又是个旁观者。而这种种又是他这个歌剧革命家的自相柄凿：原鼓吹以乐救诗，从而创造出完美的综合，结果来了个矫枉过正，反而把诗与剧降为附庸了！

这也可以说明，为什么我们只听音乐便认识了他，用不着去拜罗伊特朝圣了。但要真赏其乐之味，又不可不听、不想其对立面。而瓦氏的"参照系"也真可谓多矣。首先想到的，自然是尼采于"偶像的黄昏"中突然耳朵为之一亮，看到了救星的比才。

说实感，要论宏大深沉，比才难与瓦格纳争个高下，然而最可贵的是那一种暖烘烘的人间味，虽是我们异邦人也不觉其隔膜的，和《特里斯坦与伊索尔德》不同，以别一种激情取胜的《卡门》固然如此；《阿莱城姑娘》中则有其更朴素无华的一往情深而并不流于廉价的温情脉脉。听瓦格纳的音乐，有时像庄严端丽的大理石雕塑，手触是冰冷的，一旦激情喷涌则又像病人发热高烧。比才的歌剧、戏剧配乐与唯一的一部交响乐，却是健全的生人肉体中散发着的体温。

然后就会想到勃拉姆斯这另一个对立面了。粗听之下，此人似比瓦氏冷面冷心，其实他是古典其面浪漫其心，无怪瓦派人士攻他是伪君子了。尼采在前偶像面前转过身去以后，并不就认敌人之敌为友，反而一箭双雕地嘲弄道："他尤其属于某类不满足的女子的音乐家。再往前五十步就会遇到女瓦格纳之徒（正像在勃拉姆斯五十步之外能遇到瓦格纳一样）。"（《悲剧的诞生》第三百一十四页）这比起瓦格纳忠实信徒萧伯纳讥讽勃拉姆斯的语言还要来得尖刻刺耳。

第三个重要的对立面自然非威尔第莫属了，他也是歌剧大师。朗氏在其乐史中将以上三人来了篇合论，题为《反潮流》。他们反的是音乐过分文学化、哲学化的浪漫主义之潮，自然也是同瓦派大唱反调了。朗氏要人们留意，这三人不但和瓦氏不同调，三人之间又多么大异其趣。

这可不正像听一篇奇妙的复调之乐！实际上还可以听到更为纷纭的复调。只消想一想柴科夫斯基同瓦格纳、勃拉姆斯这三家之间的分歧也就够了。老柴是既不想追随拜罗伊特的大宗师，又受不了那位《第十交响曲》的作者。他认为后者是"力求有深度却缺乏真正的深度"。这与尼采所见略同："（勃拉姆斯）的创作不是出于充实，他（只是）渴求充实。"而这互相鸣鼓而攻的两大派又都鄙薄柴氏。他那部小提琴协奏曲当时就被瓦、勃两派看成俗不可耐不屑一顾。总之，这些心灵巨匠们似乎互相成为反光镜、回音壁，也为后人读乐读史提供了丰富微妙的和声复调。

瓦格纳的拿手好戏是用"无终旋律"精心编织他的那些乐剧。其实，人类历史也像是无数支无终旋律织成的一张流动变幻的大网吧？以瓦格纳为主角的"奥芬巴赫闹剧"也不过是其中一段小插曲而已。但尼采说："受他诱惑的绝不只是精神贫乏之辈。"诚然，这又是夫子自道。然而曾中"瓦毒"极深的他，能如此猛省、戒毒、倒戈、为同病者消毒，好像古今无第二例，虽然有些过头。

瓦氏提倡的"歌剧革命""未来艺术"，当年甚嚣尘上，后来只是在乐史上大书了一笔。今人看得如痴如醉的歌剧，很多

还是瓦氏不以为然的传统节目。他并未能独霸舞台，不过也被
供进了古典的殿堂。

像他这样集诗、乐、剧等多才多艺于一身的"巨人"，近
代是不多见的。但"巨人"又有浮夸性。还是听超人哲学家
怎样讲吧："他的艺术端给我们的第一样东西就是一枚放大
镜……一切都变大了，他自己也变大了。"

《宽容》的作者对此人却不肯宽容："当你阅读他的剧本时
会感到这是很糟糕的东西……但在演出时其音乐如此有说服
力、诱惑力，一般血肉之躯是抵挡不住它勾引的魔力的。出
了剧院吃一片三明治喝一杯啤酒……才苏醒过来恢复常态。"
（《人类的艺术》）处于法西斯"瘟疫"大流行之际，房龙甚至
说这种音乐将为人类造成灾难。这种预测并未应验。然而我
每读二战史总容易在心中响起这种忽然变得异常可憎的"配
音"。希魔有个亲密战友斯佩尔。此人的回忆录值得一看。其
中有关希特勒与瓦格纳的音乐的事抄不胜抄。每逢拜罗伊特音
乐节，必到的天字第一号贵宾就是嗜杀成性的大独裁者，而他
像是真心嗜爱瓦格纳之乐，崇仰其人，同瓦氏后人亲切友好。
这不能不在恶心的同时也引起许多无结论的思索。

生前获得青年王子的知遇，那是一段佳话；身后又大受一
个混世魔王的垂青，幸乎否耶？

这却让我可以搭到另一个话题：瓦氏魔力并不局限于舞台
与音乐厅。论者以为，像他这样的深有影响于文学的，近代还

别无余子。那时节，波德莱尔、魏尔伦、马拉美、萧伯纳等都是响应他的艺术主张的。而在创作内容、手法上同他的音乐有着明显的联系的，要数普鲁斯特与托马斯·曼了。人们说，甚至不妨把《追忆逝水年华》拟为一部巴黎沙龙的《指环》，二者的构思都是那么庞大、错综，而又精雕细刻。小说中众多的"动机""主题"微妙地隐现交织，也叫人想到瓦氏的乐剧。但是这位法国人的"拟瓦格纳风格"只是印象主义的、下意识的；另一位德国大师却意图在自己的史诗中表达他对德国的内在精神与音乐之间的关系的认识，甚至认为，瓦氏之作早就预兆了后来的德国悲剧。德国成为法西斯那合乎逻辑的结局正乃发轫于瓦氏云。这似乎又说明房龙的忧心忡忡不是无端而起了。

带着《艺术论》中唤起的老大疑团，几十年来听其乐，寻其事，我终于觉得：我爱其乐而憎其人。爱其乐，有的不爱，最后那部《帕西法尔》的中世纪气味更叫人可惜他"晚节不终"。憎其人也不忍全盘否定。

作为这篇杂曲（potpourri，或译"集成曲"）的尾声，我要热烈推荐他的一篇杰作，每一个爱乐者不可不听的《浮士德》序曲。我同它相识恨晚，一听之下便被一种真正杰作所具有的灵气打动了。后来读到柴科夫斯基的评论（《柴科夫斯基论音乐创作》第一百一十六页），深庆自己并未"谬赏"。从来取《浮士德》为材的音乐多矣，但世人只能不太满足地听听古诺、柏辽兹与李斯特等的作品，而遗憾于贝多芬想写却未曾实现。瓦氏一生中竟无暇写出一部成熟的交响曲——也可说都写进他的乐剧里去了。此作是他原想写的《浮士德交响曲》之一乐章，可说也是一部"未完成"。未完成也罢，《浮士德》诗剧本身也可说是"未完成"的。作为歌德诗剧的一种"音译"，我觉得瓦氏此作最好理解，是一种有如沉思，也令人久久沉思的音乐。

天才人物，中国人说是若有神助，西方的说法是魔附其身。帕格尼尼、浮士德都是把自身卖给了魔鬼的。我听《浮士德》序曲，一面感受着房龙所云的难以抗拒的魔力，同时也想着作曲者瑰奇的一生。信徒尊之为神，恶之者视之为魔鬼，简直是个亦神亦魔的人物了！这便大大加浓了他那篇《浮士德》序曲的弦外和声！

印象之印象

半个世纪之前（20世纪40年代）那年头，读书不易，读乐更难有什么计划，只能捞到什么读什么。于是我同时认识了《自新大陆》和《牧神午后前奏曲》，一同留下了极可珍贵的初读印象。它们也同是我几十年来听了成千遍也未尝倦的作品。后来忽然注意到，这乐风迥不相似的两首作品，却是在19世纪末的1893年间同时问世的。它们的互不相似更加激发了我读乐的兴趣。我想，一个容得下差别如此巨大的作品的音乐天地，自然很值得去遨游。

那时我们熟悉的还是"杜褒西"这译名。梅克夫人写给"老柴"的信中提到这个陪她弹琴的法国少年，也亲昵地呼之为"褒西"。那是已经作古的陈源先生的译文，但他用了丰子恺书中的译名。

不仅是德彪西、德沃夏克摆在一起叫人感到大不相同，看那乐史大事记上，那是个巨匠成群的时代：圣－桑、格里格、马勒、理查德·施特劳斯、西贝柳斯……这些人之间的异，并未掩其同。德彪西却是生面别开，何其不相似乃尔！

听惯了古典、浪漫派，忽然接触到《牧神》，耳朵为之一亮，那新鲜感不可形容！

初识《牧神》正巧在一个大热天。这音乐恰似展开一卷"夏日林荫图"，顿入清凉世界。但既不像中国古代山水画的冷然出世，也不觉有太重的神话气味，乐中的人间味还是颇浓的。至于马拉美原诗中暗示的情景，我总以为无须到乐中去深求，不必强以原诗注乐，将其标题化（其实，单是"前奏"这部分，也不能同全诗对上号。他原打算再写"间奏""后奏"的）。

这作品本来是一种音乐"背景"：为了给大演员柯克兰朗诵原诗作伴奏的（此公属于主张假戏何必真演的一派。据传他有本事把一份大菜单用悲剧声调念得听者下泪）。恐怕也不过是渲染气氛，而不是要搞成"电影配乐"。

也许有助于读《牧神》的一件事是，当第亚吉列夫把它编成了舞剧时，德彪西是不以为然的。没看到那舞剧，我毫不惋惜，正如我从不愿去看任何一种改编的红楼梦戏。一看那部舞剧的舞台照上的形象，也就够不舒服的了！我想，既然马拉美那一派的诗是向往音乐的，将这种诗升华为乐变很好了（诗人对这"译本"是点了头的），可又来把音乐翻成比文字更实的视觉造型，这对诗人与乐人来说，恐怕是尤其不合适的吧？

至于什么爱欲的气息，那不如去向他的《伊贝利亚》中寻味。那不像《牧神》的仙境，是世俗味浓浓的南国人间，芳香夜气，熏人欲醉。但要同瓦格纳那篇《情殉》比起来，又健康得多了，"乐而不淫"。

再说《牧神》之妙。那管弦配器效果之新鲜而又毫不浮艳，当初也一下子便迷住了我这初开蒙的听者。比方，在有些好唱陈腔滥调的作者笔下弄得索然无味甚至可厌的竖琴、长笛、独奏小提琴等乐器，经他妙手一点染，都生发了异样的光彩。他好像调动着一支全新的乐队。而其实，比起瓦格纳以来日益得了膨胀病的大乐队来，他反倒连一些常规武器也精简了（由于极想看看种种配器效果是怎样记录在总谱上的，我盼《牧神》总谱多年而不可得见。战争年代路过山城延平，从山上人家无意中发现一期旧音乐刊物《练习曲》（Etude），其中有此作的钢琴改编曲。狂喜！连夜挑灯赶抄下来，打在背包里带走。今天那墨水描的小蝌蚪已磨灭得依稀难辨了。及至终于买到国内影印的两种版本的袖珍总谱，一晃竟又是三十几年！其实它不过薄薄三十八页）。

这自然又同作者笔墨的经济有关。他把铜管（除了圆号）那一组和定音鼓都裁减了，却又加进一对罕用的乐器：出自庞贝城废墟的古钹（这乐器柏辽兹也赏识的，曾用之于《罗密欧与朱丽叶交响曲》中）。对这件引人遐想的古乐器，他也惜墨如金，只让其各轻叩五下而已。可憾者，在一般录音中，要品味它那盎然古意，你得运用你的想象。（当年在老式唱片上初听此曲，便听不出和三角铁有何不同。）

像《牧神》这种作品，它那音色语言，一翻成了钢琴曲，就像莫奈的《日出》印成了黑白版。即使是柯岗演奏过的一种小提琴改编本，听了也像看单色的版画了。

反之，把德彪西的钢琴曲翻成管弦乐，也是吃力不讨好。他可称肖邦之后钢琴的真正知己。我也常自庆幸，很早便听到他的《平野之风》。那同样是新鲜得令人纳罕，钢琴似乎不是原来的钢琴了！

这是他二十四前奏曲中的第三曲，似乎不怎么流行，但我很为其中的境界吸引。印象派的画，以写光与空气为主，但要把"大块噫气"画活了，又哪能及德彪西的音乐！以乐写风，作品并不少，除了戏剧性的狂风、悲风、恶风之类，小品中写得有味的有门德尔松的无言歌《五月微风》，胡贝的小提琴曲《轻风》，而《平野之风》则别是一种意境，也更耐玩索。

钢琴在贝多芬指下是沉思与雄辩的工具。那样的气魄与深度，恐怕已经后无来者。李斯特把钢琴驯服为任其摆布的一支"乐队"，他的钢琴音乐可以令人叫绝而难以使你流连。肖邦的琴曲是如此钢琴化，又如此诗化到难以用散文描述。而起初并不喜欢这乐器的德彪西（虽然教过他学琴的一位女性据说是肖邦门人）又用它开拓了新的空间。李斯特想要以钢琴乱乐队之真。德彪西根本不作此想。有人说，这是因为没有什么乐队能再现他那种钢琴化的效果。

在琴上，他吟出了《水中倒影》《月落废寺上》这样的"钢琴诗"。房龙讲到一种"看得见的寂静"（是小房龙爬上蛛网尘封的教堂钟楼时的印象，他将这写在《人类的故事》的开头），《水中倒影》岂不正是用声音写出了寂静。也不禁令人联想起"吹皱一池春水""唯有池塘自碧"！

他的钢琴曲不好"译"，《月光》便是一例。即便在斯特恩的琴弦上，原作韵味也难尽传。斯托科夫斯基改编的乐队本，自然比曼托瓦尼乐队演奏的那个版本来得典雅有韵致，但总不如去听原作。此中有种钟声余韵似的效果，最适合钢琴本性。它常常唤起我对韦应物诗句的联想，例如"残钟广陵树"（韦苏州诗中的钟声，恐怕是唐诗中最有味的了）。而《月光》的中间一段，又很可以联想此公的"流云吐华月"等句。

说是不好改编，又不尽然。他的作品像是字里行间留下了有待开掘的效果。恐怕，他那极为敏感的听觉从万籁中捕捉到的种种，总是受到传统乐器的拘束吧？因此听日本乐人富田勋（Tomita）在电子合成器上加以阐发，听熟的原作简直如新相识了！除《亚麻色头发的少女》《阿拉伯风格曲一号》调动起更多、更深的联想以外，《沉寺》的境界也更加澒洞深沉。即如作者写了给掌上明珠练琴的《儿童世界》，其中的《雪花飞》，一经电子合成器改编者的精心处理，展示了一片童话境界，散发着银光与冷香，隽永之极！

德彪西的许多作品，于我是难懂的，正如读李贺的诗，何其新、奇，又何其费解！

恐怕这缘故之一是，他不仅是一个印象派"画家"——印象派之乐与印象派之画，本来就虽相通而并不相同——更是一个象征派"诗人"。

好在他还有第三个身份是容易接近的：他的法兰西味。

这人，对于去欧洲十分遥远的爪哇、高棉之音都有浓厚兴趣，虽然他只在巴黎博览会上有机会听到它们。西班牙风味他更是喜欢摄取，赢得西班牙乐人法亚五体投地，赞他写得比西班牙人还道地。实则他也未曾有西班牙之旅，平生只到过边境上的桑·赛巴斯底安看了场斗牛而已。

但他像他的同行冤家圣－桑一样，热心于弘扬法兰西音乐文化传统，抵制德奥乐派的气势凌人。他礼赞拉摩，圣－桑也编订了《拉摩全集》。虽然他们两个志同而道不尽合。

我无知，只不过从读过而有所感受的法国文学（译本）、美术作品（极少是原作）中由此及彼，再对照别国的音乐，仍可感觉到他那既不同于德、奥，也和意、西有别的风味。而他同其他法国名家之间，又在共相中有殊相，这就更其有意思了。他不像柏辽兹、比才那般健壮，又不似古诺、马斯奈的柔媚。写《音诗》的肖松显得清癯，《西班牙交响曲》的作者拉罗嫌粗犷些。更有意思的是，同那位"比德彪西更德彪西"的拉威尔摆在一起，我总觉后者是冷面冷心，而前者是沉静中有"内热"的。我愿听《水中倒影》，不耐听后者的——《水嬉》。

最能表明德彪西音乐之新鲜、丰富、深沉的，恐怕无过于他的《大海》三章了（也可附一个"外一章"——《夜曲》中的《海妖》）。

这部作品不大好读。但正像辞世不久的美国乐人柯普兰的说法，不好懂是一种对读者的挑战，吸引你去求索。这也正如大海，本来就不可能一览而尽。

里姆斯基 – 科萨科夫有在军舰上航行的生活，体验相当丰富。他精工绘制出的金碧山水《辛巴达航海》，壮丽而有趣。德彪西一生中只有海滨生活感受。最长的海上旅程，无非是往来于英法海峡而已。可他这幅元气淋漓的巨幛，似乎不止是摄下了海天无际空间中的明暗推移，光怪陆离，而且叫人有一种置身于幽深莫测的茫茫巨浸之中的感觉，这不是那镜框子里的平面的海景画，它更为立体，又充满了骚动不安。

真是大手笔作的一篇"海赋"！绝无听惯了的逻辑、章法。纷至沓来的乐汇，"耳不暇接"，正如海上风涛之变幻多端。但从《海上的黎明到正午》直听到《风与海对话》，那不凡的气势一贯到底，你绝不会有支离凑合之感。

是多年前的事了。一次因公渡海，去东海上一小岛。刚绕出陆上山口，一片海色乘着海风射入眸子。时近正午，阳光烨烨。心里头一下子奏响了《大海》第一章中一个精彩片段，同时想到了高尔基《玛尔伐》的开头："海在笑！"

如今再听到这一段音乐，我又看到了那片海色。

它不纯是自然风景吧？这"无穷动"的流体是否也是他在咏人海、人生之海的一首象征派长诗？

与其听瓦格纳乐中阴郁厌世的无边苦海（《特里斯坦与伊索尔德前奏曲》），我宁肯多多眺望德彪西心中的海。

这也很不同于门德尔松的《平静的海与幸福的航行》。它是"不平静的山水"（美国鉴赏家高居翰对晚明山水的看法）。似乎就从这不平静中，也可以窥知作者的胸中块垒。他并不以装饰人生为满足的吧？

音乐之禅终难参透！可幸的是，也像韦伯、舒曼和柏辽兹他们，他有两支笔，另一支是写文章的。读他的《克罗士先生》，想见其为人，也是可作为读乐的参考。

文如其乐，都有一种目无余子，不屑与世苟同的风骨。议论之锋芒毕露，有时比萧伯纳还要不留余地。对音乐，他当然比萧有更大的发言权。当萧还甘心充当瓦格纳派卫士之时，曾经两赴拜罗伊特的德彪西，已经像尼采那样把那尊偶像看透了。对于把瓦氏的音乐搞成"艺术宗教"以招徕庸人市侩朝山进香的风气，他的鞭挞是毫不留情的。

他最讨厌庸人世态。沙龙味、学院派、江湖气，装腔作势的乐评家、指挥家、赶时髦的听客，他一概嫉之如仇。他是"避世之狂"，又是"忤世之狂"。这在其乐其文、其交往处世中，都是一个基调。难怪，圣－桑从《牧神》一直骂到《白与黑》；肖松同他始合而终离；拉威尔同他纠纷迭起；同梅特林克也闹了矛盾；虽然这些也都事出有因。

但他看重当时还无人注意的莫索尔斯基，又倾倒于初出茅庐的斯特拉文斯基。对瓦格纳的歌剧《帕西法尔》，他真心叹赏。圣－桑的一部交响曲，他也改编过。

忤世也不是为了哗众取宠。他并不乐于当今宗派的头头。正所谓"学我者病"，一些徒知学步的小"印象派"人，如今都被人们淡忘了。有人说得妙：印象派实际上成了独此一人的流派！

最近无意中听到圣－桑的一首竖琴协奏曲。平淡中不失天真。只是那乐风如故，还守着19世纪浪漫派的路子。真难信，它竟是1921年之作（他也死于这一年）！比他年轻得多的德彪西，在四年前便成了古人，死于德国巨型长程大炮对巴黎的袭击声中。这对于有爱国之忧（为"一战"中战死者作了《英雄摇篮曲》）的他似乎是一首特殊的"安魂曲"了！

暮年萧瑟，德彪西乐风又变。然而即便在1914年，他的《游戏》得到的掌声，没几天就被斯特拉文斯基的《春之祭》淹没了。

现代音乐新潮的闸门由他打开，但他又像是一个"终极"（或"总结"）。"从巴赫到德彪西"，能否看作西方乐史上最能为多数听众共鸣的一段呢？

至少对于我是如此。我这读乐的一介凡夫，一开蒙便认识了他，被他吸引，终于也在这路碑旁搔耳踟蹰了。更远处的奇境，我的"审美的鼻子"显得嗅觉欠灵。就连《春之祭》这种人们早已见怪不惊的作品，从十多年前初次领教它时直到如今，我还是不感兴趣。回想年轻时闻其名而不识其面，是何等的渴慕，不能不为之哑然也怃然了！

人也惆怅　乐也惆怅

——关于戴留斯

　　在自学英文中曾经发现，"惆怅"这个中文词语，好像很难找到一个对等的英文来翻译它。请教汉英辞典，请教精通英文的人，至今没有可信服的答案。感到很有意思，却也未免惆怅，也引出若干杂想。

　　古代中国文人工愁善感，他们对惆怅这种情绪与其中况味显然特别能体验，于是他们的心声结晶成为这个美妙绝伦的词语。（早在《离骚》中它便出现了。）

　　中国读书人一看到这两个字，许许多多古诗文中的好句子便会涌上心头，多得简直没法子选！随便举个例，比如那首不知何故被《唐诗三百首》编者蘅塘退士漏选的好诗中，那句"君向潇湘我向秦"（郑谷《淮上与友人别》）；又比如，出自五代一位女子口信中的那句："陌上花开，可缓缓归矣！"

　　到了五代与两宋人写的长短句里，我们可以感受到浓度更高的惆怅，感情色调的不同也更加复杂微妙了。

这些问题本非我敢于妄加议论的。这里只是引出自己正经想谈的话题。我忽然想到的是，假如要向一个英国人解释这个不好翻译的"惆怅"，何不就借助于戴留斯之乐呢！

人们总是在借用文字语言来解释音乐。反其道而行之，以乐释词，有何不可？

凡是那种脚踏 19、20 两个世纪的作曲家，往往会叫人们不大好将其归到哪个流派里去。戴留斯这人不但像个跨世纪的两栖动物，而且在他到底应该算是哪个国家的音乐家这一点上，也发生了疑难。

父母双亲都是德国人。他本人生在英吉利。年轻时候长住巴黎。"一战"中，德国人的长程炮的轰击才逼得他暂避英伦。战后仍又回到枫丹白露定居，直到离开人世。

据说，英国人自己似乎有点不大好意思认他为英国作曲家。但是另一位身份也奇特，久居英国的荷兰乐评家叫狄埃伦的，却理直气壮地出面为他正名定分。说是："就连雪莱、济慈和华兹华斯他们，也不曾像戴留斯的音乐那样的为英国景物传神写照。"

所以，他这位"欧洲公民"是用自己的音乐语言讲"英语"，为英国音乐文化发言的。

自从珀赛尔（Purcell）以后，英国人不爱听用"英语"讲话的音乐，反而先是拜倒在亨德尔足下，随后又迷上了门德尔松，有一阵子又加入了全欧洲的瓦格纳"发烧友"队伍。直到出了埃尔加、沃恩·威廉斯等，加上戴留斯，人们才又尝到新鲜的英国味。

不过，当 20 世纪之初，已是人到中年的戴留斯在伦敦初演其作品时，英国人居然不识其人不知其乐。其实在德国，他早已名噪一时。有人甚且拿他同理查德·施特劳斯相提并论。然而这也不是有谁要瞎捧一气。因为，那位谱写《查拉图斯特拉如是说》的大师听过他的作品之后，也欣然赞赏说：还不知道有谁写得出这样好的音乐，除我以外。云云。

英国听众真正发现这匹千里驹，仍有待于一位伯乐。戴留斯的伯乐也是一位有奇气的人物，比他年轻十七岁的托玛斯·比彻姆（Beecham）。原先他拿不定主意在作曲、演奏钢琴和乐队指挥三者之中到底干哪一行好，一朝接触了戴留斯的作品，便毫不犹豫地走指挥家这条路了。而且从此也成了戴留斯作品最热烈的绍介者。"世有伯乐，然后有千里马"这话在这里还另有一层含义。有了比彻姆的最知心的诠释，也是最高明的处理，世人也才得以真切无憾地领略戴留斯音乐中的妙处。于是人们也听到了这样的妙评：仅仅把比彻姆看作作曲家的阐释者，还是搔不到痒处；应该认为，戴留斯是为了比彻姆的阐释而存在的！

正因为有这种在乐史上极其难得的创作者与阐释者的契合无间，比彻姆指挥的戴留斯便成了珍贵的音乐文献。所以，当一匣由他指挥的戴留斯选集终于到手的时候，我能不为之大喜欲狂？

大体而言，戴留斯的作品是带北欧风味的英国味。当中还可以发现一点点德彪西的印象派。此外也有肖邦和瓦格纳的影响。

北欧味当然不难从他跟《培尔·金特》配乐的作者的亲密交往得到解答。有一张照片上，格里格夫妇、辛定（也是挪威乐人）同俊秀的青年戴留斯正围坐而作叶子戏。至于印象派，瓦格纳，也自然是他游居德、法两地时对当时音乐新潮的耳濡目染了。拉威尔和画家高更，都同他有交往。

时世、血统、流派、交往，种种的影响，助成了"杂烩而又合成一味"。此一味便是英国味。然而在英国味中，他又自成一家。听其乐，跟埃尔加、沃恩·威廉斯他们又有所不似。

他的有些长篇大论之作，虽也听得出是自抒性灵，乐中有我，但老实说不大好懂。例如那一部小提琴协奏曲和为小提琴、大提琴而作的双协奏曲。又如合唱曲《夕阳之歌》，纵然有歌词为我们打"字幕"，听起来仍然格格不入。

但是，听了并不感到"隔"，几乎初次入耳便令人不觉便心醉神迷的，并不少，是一些篇幅不大，曲短情深的小品。戴留斯的音乐像英国水彩画。水彩、水墨本来作小品更相宜。

例如，名为"幻想序曲"的《翻山远去》，演奏时间不到一刻钟。为小型乐队演奏用的管弦小品《孟春初闻杜鹃啼》和

《夏夜河上游》。诗意的曲名，又题在如画的音乐上，分外令人感到清新隽永！

且说《翻山远去》这篇有题而无词的叙事曲，想来作者心里是有诗为据的吧？其实我们也不用多问，顺着那标题指引的情境去倾听，让音乐来唤醒自己的体验，就会自行点染出一帧"多情自古伤离别"的画图了。

论者以为，戴留斯的和声语言有其特殊的魅力。说那和声不但是富于色彩性的，而且是歌唱性的。我们从此曲中可以得到印证。和声色调的明暗推移、淡进淡出，如行云流水般自如；而这和声的歌唱性也正是为抒情服务的。曲中的配器也是言之有物的。有几处，圆号加弦乐酿成醍醐般的音色十分醉人，渲染出云水苍茫的远景，也加浓了怅望天涯的气氛。音乐里似乎延伸出很大的景深，又叫人忘了时间的长短。十五分钟里压缩进漫长的人生经历与体验。人已远，曲已终，而余愁不断，遗恨绵绵。戴留斯营造出了令人黯然魂销的惆怅！

可是他还别有一种惆怅。这可以从《佛罗里达组曲》中认取。

此曲是此君"少年游"的"浪游记快"。

1884 年，二十二岁的未来作曲家说动了他老父（一个生意人，后来始终不愿听听儿子写的音乐），拿到一笔款子，远渡重洋到了美国的佛罗里达，做了个花旗橘子种植人。

柑橘园无人照管，任其荒芜。园主人买了架钢琴，整日

"弹琴复长啸"。少年人纵情山水，陶醉在阳光灿烂的南国大自然怀抱里。有时又独来独往，于谛视、倾听自然中，深味着孤寂、静谧的情趣。这种种体验便记录在三年之后谱成的《佛罗里达组曲》中。从中，我们听到了青春的愉悦乃至狂喜。其中的那篇《卡林达舞曲》便是一首小小的"狂欢诗"。《卡林达舞曲》极其好听，听着听着你会情不自禁要手之舞之、足之蹈之。这样美妙的音乐，又是如此的顺耳好懂，难道会有谁听了无动于衷吗？

可是你如果闲闲读过，只听出其中的欢乐便满足，那又辜负了它，也是还未真正听出味道。

《佛罗里达组曲》特别是《卡林达舞曲》中，也有及时行乐、兴尽悲来的惆怅。

多亏格里格的劝说，老父同意了靠弹风琴混日子的荡子归来，进莱比锡音乐院。然而也只听了十八个月的课。其实他受过几个朋友的点拨，不光弹钢琴，还能拉提琴，至于作曲，免受学院教条的拘束，反而助成了这位"爱美"（amateur）作曲家超脱地俯视那些专业乐人。

前半生在德国扬名，英国人对他一无所知。后半辈子，英国迷上了他，德国听众又把他忘怀了。他虽定居法国，那里的人对他的音乐却始终漠然。

真正凄惨的是暮年恶疾大发作。双目失明，瘫痪在床。既不能视，又不能执笔，把这个虽已写了那么多作品却还有许多话要倾吐的人剥夺了发言权！须知，文章可以口授笔录，多声复调的音乐思维却不好办。

看看他晚年的照片，紧闭着一双已经无用的眼，仰望着虚空，形容憔悴。这同那少年时神采飞扬的照片何堪对照！

所以，读其传而爱其乐者，不能不感佩那位毛遂自荐为他笔录、整理曲谱的青年人了！其人名芬毕。

风流病是当年在佛罗里达的时候便沾染上了。这是一说。也有说是像易卜生的《群鬼》一剧中的事，遗传的。

戴留斯何其不幸，而不幸中又有大幸。芬毕帮他抢救出了几乎胎死腹中的作品，于病痛发作的间隙中，艰苦地记录下来的作品包括一部为惠特曼之诗谱写的合唱《告别》。这就延长了他的创作生命。

同样大幸的是，因为有了比彻姆的忠实阐释，他的音乐青春常在了。

最严肃的音乐

爱听严肃音乐，自然不能不听交响曲。我说它是最严肃的音乐。不顾其艰深，鼓勇听了又听，听了这些年似乎听出点意思。

一本唱片目录上有海顿的交响曲全集，共收一百零四部。乐史上还有人比他写得更多：一百六十五部，还有个统计，乍见难信。据载，从 1720 年到 1810 年这九十年间，欧洲人写的交响曲共一万两千三百五十部，至今有案可稽。

这些当然已是乐史中的陈迹。除非史家要做专题研究，未必还有好奇者再去挖掘那个庞大的故纸堆。

即使是海顿那一百零四部吧，现在人们常听的怕也不到十部。（倘将《玩具》也算在内。这部最短最好懂也天真可喜的"交响曲"，其实很可能是莫扎特父亲的手笔。）

海顿的作品，我不怎么感兴趣，只当作乐史实例一听而已。交响曲是到他那时候才兴旺起来的。在那之前，"交响曲"其实并不就是后来的交响曲。手边有个现成例子。老巴赫的《创意曲》集，向来为学钢琴者必弹。集中有"三声部创意曲"，原先却题作"交响曲"。

交响曲真正建成庄严宏伟的流动的殿堂，是贝多芬之功。并非我要言必称贝多芬，搞个人迷信，在他之前，还没有那样动人心魄的交响曲；在他之后，指挥家魏因加特纳说得也许夸张些：后人再写交响曲是多此一举！（他自己却也留下了六部交响曲，虽说我们从未听到演奏。也许这正可证实他不是信口雌黄。）

贝多芬的轰轰烈烈的交响曲事业是从《英雄》开始，才完全显出他的自家面目。但《第一》与《第二》我也觉得常听常新。那吸引力不但来自他独有的不凡的气势，还因为其中有一种青春之美，就像看他青年时的画像，那神气比后来的画像更桀骜不驯、咄咄逼人。而这些，又都同那个时代所引发的想象打成一片了。

每听《第二》的第一乐章，一种春水方生，莱茵河滔滔奔流的联想油然而生，有一股不可遏阻之势，而音乐的交响化又恰似风起水涌般自然！《英雄》《命运》《田园》与《合唱》，只听这几部，似乎也就认得了贝多芬。但是另外五部又从不同角度披露出那个巨人的胸怀，像是横看侧看庐山，又是一副姿态。遨游于"九峰"之中，才更能了解他境界之深广。不妨说，《英雄》《命运》似宣言，似雄辩；《田园》《第四》如诗如画;《第七》《第八》是玩笑乃至醉起狂舞;那么,再听他暮年沉思的《合唱》,也便更叫人惊叹他胸中丘壑的气象万千了!

贝多芬证明了交响曲这个思维工具有巨大能量。它真可谓巨人写的大文章,是他发宏论、抒激情的工具。假如有所谓"所向披靡的逻辑力量"(苏联御用文人吹捧斯大林之语),借以形容贝多芬的音乐逻辑,倒也不妨。可惜的是,不仅是和他同时代的作曲家,而且后来者,都再也发挥不出这种力量了。再不见有那雷霆万钧似的快板乐章,那汪洋恣肆的慢板,和那嬉笑怒骂皆成文章的谐谑曲了!

想到那一万多部的大数目,交响曲文化可谓其兴也迅猛,但它的由盛而衰却也意外地快。

后继者的作品,不能说并无新声新意。然而辞肥义瘠,听起来显然是力衰气短了。才已听熟,便即乏味,门德尔松的《意大利交响曲》堪称此类"典型"了!柏辽兹和李斯特转向标题乐、交响诗,想另辟一条新路。但如果乐艺不得不求助于诗艺,交响曲也便难以独立自在地思维了吧。

勃拉姆斯是严肃的。我起初觉得他晦涩不可亲,后来发现他岸然的外衣下有热情,但终于未能成为他的知音,因为那种刻意求深的制作,到底不那么情真话实。那种有意制造出的浩大声势,也不能产生深沉的震动。贝多芬的洪流是天成的,其他人再怎么故作豪迈,也总像人工瀑布。

勃拉姆斯正好反衬出一个不掩饰自己的柴科夫斯基。他浑身是情感，真而且浓，但已成了弱者无可奈何的长吁短叹，往往又叫人感到太甜反而腻。唠叨诉说，也未免可厌。他的六部交响曲中《悲怆》是最耐听的。第一乐章中有吞声饮泣。第二乐章是恹恹无生趣地聊且起舞。然后第三乐章是无目的的昂奋。终于索性放声号恸，串起来是沙皇俄罗斯的一场严冬噩梦。我常常把它作为《罪与罚》的配乐来读。（题为《冬天的白日梦》的第一交响曲，听过反而并无印象。）

马勒这位后浪漫派管弦大师，唱的也是厌世的哀歌，但又是另一种气味。他那交响化的手法，调色博彩的技巧都颇有魅力。听他发泄自伤失意之情，也是动人的，但又仰望上苍，归心彼岸，便不免可悯而又无谓了！

德沃夏克的九部交响曲，除了第九至少有三部（第六、第七、第八）经得起反复倾听而愈见亲切。他同西贝柳斯两个，异军突起，成了小民族的世界名歌手。国不在小，同样可以出交响乐大文章。作为久困于轭下的一个弱小民族的发言人，他的音乐里不仅有对母族的挚爱，而且有对别的小民族的同情。如花似玉的旋律令人应接不暇，而又如此自然地交响化了。是这样的纯朴而流美，舒伯特之后唯有他一人吧？完全可以评他深刻不够，绝不会嫌他矫揉做作。一个值得思量的问题：《自新大陆交响曲》同《牧神午后前奏曲》像是两个时代的音乐，却几乎是同时发表的（1893 年间）。当时，乐海新潮已经涌起。德沃夏克除了标民族之新，并不在乐风上立异。可是它到如今仍然是一部最大众化也为大众乐闻的交响曲。他的音乐青春常驻，还不是因为一个"真"字！

听肖斯塔科维奇，有气魄，有深度，新而不诡。《一九〇五年交响曲》中有大踏步向冬宫行进的脚步声，令人怦然心跳。那岂不是历史巨人的足音？只可惜他的语言也不都好懂。读了他死后才公开的回忆录，才知道本来"不可以为伪"的音乐，也不得不用曲笔、隐喻！（《见证》一书是真是伪，且听后来分解。）

在求新求变中，交响乐文化反而同爱乐大众疏远了。似乎变得不是空便是玄。结果不是它抓不住我们的心，便是我们跟不上它的思维伦理。

"后之视今亦犹今之视昔"。19 世纪以来的许多交响曲，如斯波尔、古诺、鲁宾斯坦、格拉祖诺夫，以及那些先锋派乐人们的作品，将来会不会也像那 18 世纪的万余首，只剩一个统计数字？

交响乐！这是一个有丰富联想的词语，但愿人们不要随便用它来作比喻。这译法（不管是否从东邻引进）比早先的或拟古作"大乐"（萧友梅），或音译为"生风里"（王光祈）等等都妙。

这种最为严肃的音乐，尤其需要严肃地倾听。听一部交响曲，就同投身于音乐的激流之中游泳一样，绝不是什么轻松的活动。哪怕是听《未完成》《自新大陆》这样深入浅出之作，同样如此。真是"耳倾已歇，心聆犹闻"，听完了，依然不得轻松，似乎经历了一番人生变故似的，痛定思痛，还想回过头去咀嚼其中滋味。

听这种音乐，突出地感觉到的是其复调性与交响化的展开。我相信这正是人间世的投影升华。历史与现实中的纠葛，造化与心源之间的交感，促成了交响音乐的出现。

比音乐为建筑，已毫不新鲜。然而交响乐的确太像建筑。不同的是，木石的殿堂，任你仰观俯视的，是一座已完成的建筑；交响的殿堂，你必须紧跟那位建筑师的脚步，同他一道去构筑，直到整个殿堂在你听觉记忆中巍然屹立，才算完成。

如此宏深精妙的艺术，人类文明的一大创造，真的快要走到尽头，以至有人提出了"交响乐往何处去"呢？

过去自己也真幼稚，曾认真地做着一个美梦，随着历史的演进，不必太久，就会涌现新的贝多芬，比他更伟大，可能还是像星座似的一群。那时人们便会听到比"第九"更伟大的"第十""第十一"……爱乐者乃狂喜沉醉于前所未闻的极乐境界之中！

但是对于中国交响乐文化的发展，我仍然怀着大期望。中土的音乐有不同于西方的奇芳异彩。虽说自古以来并未向多声交响发展，走了一条独特的线性思维的道路，而这也便意味着有巨大潜力可待开掘。再说，我们这片大地上，古往今来的种种，实在丰富而复杂。虽然古人不喜复调思维，事实上明明有着丰富复杂而且奇特的"复调"与"交响"。

我深信，这种历史与现实中的"交响乐"，总有一天会被"译制"成动心骇耳的伟大乐章。

无形画　有声诗

　　慕名四十年才听到了奥涅格的《太平洋 231》。可惜它来迟了。对于标题乐，早已不像年轻时那样热衷。不过偶尔重听曾经爱听的作品，也有一种翻看自己所藏旧画册那样的乐趣。

　　乐中寻画，或者以文学解释音乐，这在我辈爱乐之徒也许是升堂入室前必经的一步。音乐可以转化为诗画，这种现象确是迷人。

　　标题乐家最拿手的自然是风景画。从前见丰子恺文中说，门德尔松是"出色的山水画家"。将中国特有的一个词儿加在一位洋人头上，新奇可喜！他是在介绍《芬格尔山洞》一曲时说这话的。这一曲也是我们几个同好者长期以来的保留节目，熟而不腻。而门德尔松的有些大作却早已不耐多听，例如《意大利交响曲》。

　　他这幅山水画写的是苏格兰海边岩窟中所见之景。有个朋友自小生长在黄海之滨，一听便深喜此曲。当时对海无知的我，却也闻乐而知海似的，觉得曲中的海气潮音比读过的以海为题的文与画中的海更加活灵活现，包括《陶庵梦忆》中那篇妙文《白洋潮》。

听此曲犹如观潮。三次来潮，各有其不同的意态。初潮乍涌，只不过闲闲地几下子。然后，以堂堂的阵势，潮又来了，又复从容退去。接着的一段音乐寥廓而凄清，正好为高潮又起作铺垫。最后的来潮，也是高潮，声势浩大，"轰怒非常"（张岱语），大有决一死战之概。终于又很自然地复归于寂灭。

乐曲令人信服其作者真有体验（他的创作冲动产生于现场，又经酝酿颇久方才落笔）；也叫人佩服他的既能发挥浪漫乐家的想象，又有古典派大师驾驭形式的功夫。那复杂多变的海潮声，几乎叫人忘记了它其实是两个基本主题在起作用。文学、音乐各有逻辑，要撮合为一而又各得其所，原是标题乐作者要解决的难题。

后来的几十年，常有机会观海，并未感到《芬格尔》不真，而且每一联想到它，便叫人觉得真的海变得更美，更有诗意与乐感。

正是这些把大海画活了的音乐，使初次问津乐海的年轻人动心了。这比纯音乐既易懂也好听。甚至曾经幼稚地认为，假如要在几门艺术中分个高低，自然是诗不如画，画不如乐。

听《芬格尔》也的确比看一幅《九级浪》有趣。何况有许多事物还画不出，例如风。音乐中的各式各样的风可妙了！

《辛巴达航海》既画了海，也叫你感觉到那破浪的长风。听格里格的《晨》，那海风阵阵，挟着曙色而来，把光与空气的感觉同时传给了听者。

写雷雨风暴的音乐，似已多到难以给人新鲜感。《田园》中那一章，论逼真，可能不如《威廉·退尔》序曲之第二章，不如《大峡谷》的末章热闹。但田园诗意自然是贝多芬的浓。

标题乐风景画廊中的能品妙品，说不胜说。有的怕已被今人遗忘了。1949 年南下福建，独行在万山中一条险径上，忽然忆起伊凡诺夫的《高加索素描》组曲中的《隘口》那一章，它便是令人怀念的一曲。又如看《易北河会师》，影片平平，但有个德国人伐木的镜头，轻轻响起一段音乐，是瓦格纳《林涛》中的。一下子唤出了相当复杂的联想。乐剧《指环》中最可爱的写景文，要数《林涛》了。

有两篇音画，感受特别深。这都是意大利人雷斯皮基写的。《罗马的喷泉》中最后一章以梅地奇别墅喷泉为题，画出了无限好又挽留不住的暮色。而这暮色中浸透了怀古的惆怅之情。残钟、啼鸟，一一融入苍茫大气。那效果极似印象派的画，而又胜过了定格的画。有一年，徘徊于西湖孤山脚下，游客已稀，暮色渐浓，不期然地忆起了这"梅地奇别墅前的喷泉"。

《罗马的松树》中第三章，可谓一幅"月夜松风图"。我想，作者是写他心中的古时月，与眼中的今时月。他是否也大有"今月曾经照古人"之慨？在我这个中国人听来，听时仿佛进入了"明月出天山，苍茫云海间"的诗境。又好像感觉到了苏轼《承天寺夜游》中那清冷的夜气。

这"月夜"将尽时，夜莺唱了起来。总谱上此处并无音符，只注明："夜莺"。过去演奏此作，曾有用录下鸟声的唱片来配奏的。如今似乎改用鸟哨之类了。可惜听到这地方并不觉得它强化了诗意。也可能济慈的名篇加深了西方人对这鸟的感情。我则觉得这舞台效果似的的鸟声效果反不如《罗马的喷泉》末章中的众鸟争喧来得有味，那是木管乐器上吹的，自成旋律，是鸟声的音乐化。

由此正好转向一个话题。论画尚且不可只求形似，而况要在不可得见的声音中求形求似？标题乐，格调高的，绝不斤斤于此。我们硬要音乐同标题对号入座，也不免落了下乘。

印象派音乐更是一种朦胧诗、写意画。例如德彪西的《水影》，还有那一片空灵的《平野之风》（都是钢琴曲）。

音乐描画的这种似与不似之间的效果，也表现于"人物画"中。

柴科夫斯基有一部音诗:《雷米尼的弗朗切斯卡》，取但丁《神曲》之一脔作为本事。原诗这一段并没多少行，却被谱成了要听半小时的音乐。听了等于看一出情节并不简单的悲剧。

此曲前后两部分都是地狱景。也便是德拉克洛瓦所作《但丁的小舟》画中之景。"音画"要比真画丰富多了。德拉克洛瓦画不出的恶风，音乐却可以再现。但真正揪住听众的心的

却又不在这《地狱变相图》，而是中间那一部分：一双既尝了
人间苦又遭到天谴的恋人向诗人的哀诉，引出了不堪回首的往
事。单簧管主题一上来便似勾出了这位薄命红颜的凄苦欲绝的
姿容。自然说不出究竟是何模样，正像谁也说不清《红楼梦》
中人是何模样，而又确似有个呼之欲出的模样似的。随着这主
题的展开，你也进入了规定情景。其中也有短命的欢愉，正如
钱钟书引过的那千古名句所写的。(《地狱》第五曲一百三十八
行，弗朗切斯卡回忆与保罗的惨史末句：她和他同读传奇，渐
生情愫，读到一处，"那一天我们就不读下去了"。)临近悲剧
结局时有一股阴森险恶之气。其中有个细节：悲风轻啸，令人
寒噤，连竖琴的声音也像雪珠子般冰冷了！想见那冷宫中的气
氛。相形之下，那狂暴的地狱恶风倒并不可怖。

音乐似乎有一种从整体上概括表现的功能，效果是可惊
的。一部《茶花女》歌剧，老实说并不能始终抓住我。然而它
的两首前奏曲，总计不过十几分钟，听了便像已深味了那悲
剧，女主人公薇奥丽塔的身世，仿佛都浓缩在这两篇前奏曲
中了。

文学作品本来是听标题乐的向导。我最感谢标题乐家的
倒是他们引导我对一些文学作品作了深层的巡礼。《神曲》中
译，自己只闲闲阅过。如不是柴氏那部音诗，怎能体会寥寥诗
行中隐着一场中世纪的悲剧！

从前看电影《罗密欧与朱丽叶》(影片商从林琴南译的

《吟边燕语》中搬来"铸情"这片名），莱斯利·霍华[1]与垴玛希拉[2]两大明星给我的印象，还不及片中配的柴科夫斯基的音乐来得深。

莎剧难读，帮助我去认识它的是这种音乐"译本"。像《罗密欧与朱丽叶》，听了柴氏之作再听普罗科菲耶夫的芭蕾音乐，两"译"不同而各有其美。这又让我知道莎剧经得起不同的解释。

说也惭愧，像《李尔王》《仲夏夜之梦》《暴风雨》等，主要靠了柏辽兹、门德尔松等，自己才略知其味。听了《纺车边的甘泪卿》（舒伯特作）和《浮士德》序曲（瓦格纳作），也就躲懒，不忙去通读歌德原书了。

诗、乐、画各不相同，但又相通。发挥"通感"的作用以读乐，读那有声诗、无形画，其味无穷。

不过，如何去读是个需要自己去体验的功夫。用文学形象去"直注"，用视觉形象去图解，必然有害于读乐。舒曼有时写完了乐曲才安上个题。德彪西《前奏曲集》，曲题都放在一曲之后，让人听了再说。这同贝多芬也曾想为三十二首奏鸣曲作题解而终于不作，是差不多的用意。反之，出于好心，比洛在所校订的贝多芬奏鸣曲集中好心加了大量标题性提示，反落得被人骂他荒谬。为求形似，弄巧成俗的例子至今不绝：例如

1　Leslie Howard，现在通常译为莱斯利·霍华德。

2　Norma Shearer，现在通常译为瑙玛·希拉。

《一八一二》中用真炮，《大峡谷》里配真雷的录音。

诗无达诂。何况是多义且又模糊的音乐语言！以前常常为了自己的感受与标题不尽相符，或所感得不到别人的认可而泄气，其实都是幼稚。

萧翁遗憾莎翁不曾留下舞台指导的记录，却也有人认为，莎剧与其演，不如读。也便是由读者自己去当"导演"与"演员"吧？

愈是涉及具体形象，愈是人人有自己的感受。听说舞剧《天方夜谭》[1]中，辛巴达驾的是一叶扁舟。我听原作，却见一艘艨艟巨舰。

外国曾有三人同听《月光曲》，三种联想。中国少年卜镝听《二泉映月》，以画记感：月亮一头哭一头追着流水。这同本人所感绝不相似。然而也何尝不好？音乐其实是作、演、听三方的三重奏。听者的一份创造有时可能高于原作。我想，《琵琶行》《箜篌引》便是例子。

听《田园》，我有自己的心中画。后来见一部传记片中有配这音乐的实景，大失所望！迪士尼与斯托科夫斯基合制动画片《幻想曲》，以动画释乐。从前对它向往得不得了，至今也未能一看，却也不大想看了。这是读乐多年的一点长进。

1　*Scheherazade*，现在通常译为《舍赫拉查达》。

再说标题乐

英国乐人托维，是一位普及严肃音乐艺术的热心人。但不知怎么搞的，他对凡尔纳好像有成见，竟指责那位科幻小说大师"身不离法国内地小地方，却大写其世界各地风光"。但科斯特洛的《凡尔纳传》中明明记着，凡尔纳前后买过三条游艇，自当船长，作长程航行，足迹还远到新大陆。

这方面的是非且不去说它，想告诉读乐同好者的是有关《芬格尔山洞》的事。

凡尔纳早年便有赫布里底群岛之游，到过芬格尔洞。此行所见，他收进了小说《绿光》。倘要为门德尔松这幅音画编写什么"赏析""导读"文字，凡尔纳的工笔写生可以说是极现成的资料："从岩洞里望出去，好像是开阔的天空裂开了一条缝，露出一派极美妙的景色……当一块云彩遮住洞口时，就仿佛舞台前拉起了纱幕……像乌木般漆黑的画面，衬托出整个前景，使它变得轮廓鲜明……"

这段写景文可证，凡尔纳也像门德尔松一样，确有身临其境的实感。可巧，他也是个好乐之士。传中说他早年在巴黎，一文不名的时候还要去搞一架钢琴来弹弹，还作过曲，又是瓦格纳的崇拜者。《格兰特船长的儿女》中，船长收藏了瓦氏作品的乐谱，便可见其所好。凡尔纳也因为看了司汤达的《罗西尼传》而心醉于那位歌剧大师。（可能他不晓得罗西尼本人对那本传记是嗤之以鼻的！）

听那种写雷霆风暴的音乐，特别值得细玩之处，并不在那最热闹喧嚣的高潮处，却在那山雨欲来和雨过天晴的地方。《田园交响曲》《威廉·退尔》序曲中，这种风云雷雨的来与去都绝妙，妙在其自然，有意趣，而这两曲的笔法与意境也不尽相同。

写雷雨的还有《阿尔卑斯山交响曲》。理查德·施特劳斯写的是山谷中的雷雨，和《大峡谷》是类似的背景。山鸣谷应，使大自然的咆哮平添了别一种气氛。在雷收雨歇的部分大可联想中国古人程浩《雷赋》中的"蓄残怒之未泄，闻余音之良久"那两句了。

《阿尔卑斯山》长篇大论，又像巨幅山水画"华岳全景"，作者将镜头瞄准这一座大山，紧跟着游人从山下登临绝顶，写尽了这欧陆第一峰的名山胜境的风光。气派不小，手笔不凡。未曾听过的，是不可不花上一小时的代价来赏它一遍，以代卧游的。但可能要隔几年才会再想旧地重游。

　　同样，状写海潮，精彩有味处也是在来潮与余波的段落。木华《海赋》中"犹尚呀呷，余波独涌"，乃《管锥编》作者一引再引的警笔。《芬格尔山洞》中也可以寻到这种"体似止而势犹动，动将息而力未殚"之境。但音乐是最有动力，最能表现动态的艺术，静止的诗文与图绘便不免相形见绌了！

　　关于《芬格尔山洞》这一曲，固然是笔者所偏嗜，也确有不少话头总愿捧献出来博同好者之一赏。除了前面说的，还可再添一些。

　　据舒曼说，此曲爱听者中，女性特别多。又此曲原有一题是《孤独之岛》。现今用惯了的曲题，作曲家并不中意，乃出版商所改，竟以此行世了。我们如果循其原名去细味那"孤独之岛"的意境，是会有帮助的吧？

　　托维在其名著《交响音乐作品分析》中议论道："门德尔松的手稿我见过，是一种落笔如飞的笔迹。其音乐素材与其说是来自着意的观察，毋宁是一个善感的心灵的体验。从他当年在北海之滨援笔速记下来的那主要主题，直到曲终最末了的那一声弦乐拨奏，作曲家一定是深深沉浸于希伯里底群岛的景色中：惊涛拍岸，轰然涌入岩穴之中，或许，最吸引他的，是当海雾已收或还未升起之时，大气中的一片澄澈。"

　　年方二十的门德尔松是 1829 年 8 月游芬格尔山洞的。在现场他用画笔速写了实景。但音乐灵感记下的只是重要的动机、主题。直到 1830 年 12 月，他才告诉世人，全曲已成。然而两年之后他又说，"乐曲中间那一部分太不像话，而且全曲中对位法气味太浓，超过了鲸油、海鸥和咸鱼的气味，不修改不行"。此作首次公演已是 1832 年 5 月了。有趣的是，在旅游之后，人们纷纷向他打听，对芬格尔的观感如何？他总是回答：不可说，只能弹给你听。便坐下弹几段已经构思的音乐。

人们听此作，所感受的是一幅海景画，别无所见。爱丽丝·波尔可女士却别有用心。她从一些欢闹、调皮的旋律中竟然窥见了历史上的悲剧角色——苏格兰的玛丽·斯图尔特女王的媚眼。此人是一部《门德尔松传》的作者。

《芬格尔山洞》曾于 1936 年末在上海兰心戏院演奏过。演奏者是一支中国人组成的乐队。正副团长分别是黄自、谭小麟，指挥是吴伯超。1939 年 5 月，桂林广电管弦乐队也曾演奏它。这是值得一记的。

"两全其美"与"有得有失"

文学和音乐我都有兴趣，对于二者的相通又不相同、可以交相为用，也很感兴趣。但只能于杂览之中零零碎碎浅尝一点。以此为话题，献上杂拌一盘，无非向大家推销严肃音乐而已。

西方音乐借文学的光，以兴感、通感，大做其标题乐文章，让音乐美与诗意双美结合，以求综合为更高的艺术品；那一阵子繁荣，成了19世纪音乐大潮中颇为壮观的景色。自那时以来，从文学中移植到音乐中的作品，多得听不尽吧！

最受乐人宠爱的显然是莎翁的作品了。翻翻许多作曲家的曲目，最容易发现的就是以"莎氏乐府"为题材的音乐。耳熟的例子便有《仲夏夜之梦》（门德尔松）、《李尔王》（柏辽兹）、《哈姆雷特》（李斯特、陀玛）、《奥赛罗》（罗西尼、威尔第、德沃夏克）……莎翁的重要悲剧、喜剧都被化为音乐了。

然后就会想到歌德。《浮士德》《爱格蒙特》《少年维特之烦恼》《威廉·迈斯特》等等，都是音乐家汲取灵感的泉源。

可列入这份目录的还有：但丁、塞万提斯、拜伦、海涅、雨果、梅里美、普希金、托尔斯泰……

很惭愧自己对许多文学作品的无知，同时又心怀感激：多亏有这种"音译本"，使我免于愚昧。莎剧原文难啃，即使译本能"信达雅"，终隔一层靴。然而读过许多"音译本"，不仅激发了精读原文的兴趣，也好像已亲炙过原作者似的。诗本来最不宜迻译为另一种文字，但听了舒伯特和舒曼的艺术歌曲，领略到歌德、海涅的诗中境界，也好像读到书法名迹摹本，下真迹一等了！

至今不胜怀念的书有《简·爱》的两种旧译：伍光建的《孤女飘零记》与李霁野的《简·爱自传》。茅盾对两译的品评文章也不能忘。

文学翻成音乐，一文而多"译"，也多得是，而且更堪玩味。这又得让莎剧数第一。它的经得起这种音乐上的开掘，正像它在舞台上的经得起史坦尼、莱因哈特、梅耶荷德等大导演们的不同处理吧？

其中最耳熟的一例是《罗密欧与朱丽叶》了。

到底是老柴那部序曲更能传莎翁原剧之情呢，抑或是后来普罗科菲耶夫的芭蕾音乐更有生气？这也如《简·爱》的伍、李二译，令人难以厚此而薄彼了。柴氏之作中的海枯石烂不可变的深情最为感人，长听而不厌，将与原作一同不朽吧！同时从头到底浸透了悲剧感。每次听到曲终，定音鼓大擂起来，总不由感到连这件硬心肠的打击乐器也大动感情，加入全乐队的同声浩叹了。

另一"译"也不凡。虽有珠玉在前，普氏并不搁笔，且敢自出机杼，奏出了与柴氏不同的新声。他笔下的朱丽叶有激情，似乎别有一种高华壮美，悲剧感也更为逼人，这都使我愿意宽恕他的总爱制造许多怪诞音调。（也许其成功还因为作者作时、听者听时，心目中还有个乌兰诺娃的舞姿吧？）

柏辽兹的同名交响曲，渴慕多年才得一赏，结果是失望。至于古诺的歌剧，没听过，也不大想找来听。

音乐化了的《浮士德》，复"译"更多。古诺的歌剧，有它的剧场效果票房价值。这却是一个乐史家朗氏说的"听不出他是和比才同时代的人"。用那玻璃琴（一种奇特乐器，莫扎特曾为之作曲）般的音响在唱《浮士德》那深邃的诗剧，不能不叫人觉得不合适。塞进歌剧中的芭蕾音乐更是一听便腻。（除了那支圆舞曲。但在舞台上它是与合唱巧妙地错综并奏的，单独听便生气大减。）

李斯特用三幅人物肖像（浮士德、甘泪卿、梅菲斯特弗里）构成一部交响曲。构想颇妙，可惜也未能打动我。倒不如听舒伯特初试锋芒之作，《纺车旁的甘泪卿》更来得个有人有情有景，呼之欲出。

贝多芬曾经有过两次想为歌德这部杰作谱曲。如果实现，世人会听到一部深沉或有胜于《第九》之作吗？诗人原指望着那位不甚关心文学的莫扎特的。没想到《安魂曲》未写完而作者撒手，他叹息告人：无人能承担此事了！

瓦格纳也有谱《浮士德交响曲》之志而只成一章，即今之《浮士德》序曲。然而这"未完成交响曲"却引领我到歌德那座巍然而深邃的大建筑前仰止了一番。

同一篇文学作品在不同的"音译"中显出丰富的殊相，《魔王》是好例证。歌德此诗并非只有舒伯特谱曲。在其前，贝多芬已作，可惜只是未定稿。据说"对原诗的戏剧性有非常深刻的理解""却放过了歌德所刻画的神奇幻境"（见朗多尔米音乐史）。在其后，则有列威之谱。评家认为，可与舒伯特之作比肩，甚或过之！

还有一例更是令人赞叹：贝多芬于 1810 年竟同时拿出了《迷娘》的四种谱稿！正如他留在稿上的手迹所云："既然来不及做到完美，只得多作几次尝试。"

也许真如其自云"有特殊'音乐视力'"的海涅，他的诗篇被制为乐章的可谓多矣！一篇《卿似一枝花》，舒曼、鲁宾斯坦等不约而同地拿来"一题分咏"。人皆以为，还是李斯特所作为最胜。既含情脉脉而又十分素朴，并不像这位钢琴圣手演奏的风格。

"音译"中的神品自然可以神似原作，但也只能是比意译更自由的意译。有些也就是"用其意"，借题发挥罢了。就如柏辽兹的名篇《哈罗尔德在意大利》同拜伦原作是对不上号的。作曲家承认，不过是写了自己薄游意大利的印象而已。

既然意译而又自由，想来也容得听者参与进去见仁见智了。上文说听李斯特的《浮士德交响曲》觉得颇隔，但朗氏在其乐史中却对他的匈牙利同乡赞不绝口，认为是他十四部交响音乐中突出之作。对此我何敢置一词。但对于也被他推崇的《但丁交响曲》，我却更信服老柴的评价。(他将此作同莫扎特的《魔笛》序曲对比，认为前者牵强，一味追求惊人的效果。)此无他，一位是不曾以作曲鸣的学者，一位是对乐艺之精微有切身体验的乐人呵！而柴氏取《神曲》之一脔，写下《雷米尼的弗朗切斯卡》，也使我受到异常深刻的感染。而作曲者自己却不满意，对巴拉基列夫许之为"最高峰"的话表示绝难同意，自责为"带着虚假激情写成……实际上十分冷漠、虚伪和薄弱"哩！

在西方世界，比起其他艺术来，音乐文化的大发展有后来居上之势。到了18、19两个世纪更呈"百家争鸣"的伟观。后到一脚的浪漫派音乐，正好向先行的古典、浪漫派文学取其材，借其灵感，取精而用宏。于是诗乐双美，璧合珠联了。本来是难状、难言之美的乐中之相，附在文学形象上显现，仿佛可得而言了。文学之光照亮了乐中之相，而又不像插图之只能"定格"不动，竟显得文学作品的"音乐版"比原作更加有声有色。

文乐结缡，所得孰多？

仍以《神曲》中那一段哀史为例。原作中译不过六百字左右。柴氏自己写的散文标题约四百字。从这些文字中敷演而成的音诗则长达半小时。虽也不算怎样长，却可使听者恍如追随两诗人去神游中世纪，也从两情人的诉说中经历了一番人生苦难。柴氏真可谓善读，读出如许文中、文外之意，对于读但丁《神曲》的我们，又是极好的"导读"了！

文与乐两方是否有得也必有所失？情况也煞是有趣。朗氏的乐史中说，雨果反对别人拿他的作品改编歌剧，乃是看到音乐化之后会超过原作。而歌剧《弄臣》也的确比《国王寻欢作乐》原剧高明。（可以想想：像《丽哥来陀四重唱》这样美妙的立体化效果，原剧就搞不出来吧！）于是这位浪漫派大文豪的有些剧作只是由于改编成了歌剧才广为人知的（《欧那尼》《路易白拉》等）。

再说，不是威尔第和比才的音乐，小仲马、梅里美原作的影响又会怎样？

经过歌剧脚本作家动了手术，原作往往被糟蹋得不成样子。但一部文学上优美之作，也不见得能很现成地变成歌剧台本。读书不多的莫扎特对于什么是好台本倒是善于鉴别的。

这情况也符合诗（歌词）与音乐的关系。黑格尔发现，更适宜谱乐的，是那种不好不坏的歌词。而舒伯特和我们的黄自，也的确拿一些不可谓高明的诗，谱出了绝妙好曲。"音乐能使歌词化平庸为高雅",这是格里格说的。

算总账似乎是文学受音乐之惠为多吧?一身而兼文豪、乐评家二任的萧伯纳,自然对此体会更深。他奉劝那些冬夜围炉从司各特、大仲马的书中寻求刺激的人,不如坐到钢琴前弹一段歌剧《新教徒》中描写打斗的音乐,可以得到更大乐趣,那是前者的文字做不到的。

威尔第的歌剧《茶花女》肯定超过了小仲马原作的话剧。甚至可以说,单是两篇前奏曲,已抵得一部《茶花女遗事》吧?然而虽有《卡门》,却还不可不读梅里美原作。格里格为《培尔·金特》配的乐,传达易卜生原诗剧的风味也并非毫无遗憾。

音乐靠到文学身上,也是有得亦复有失。标题乐要迁就文学情节,就不得不牺牲音乐自身的逻辑,难以完美地保持其连贯与完整。从形象化中追求新境界,也影响了乐艺自身之纯洁。廉价的温情主义,言情写景的滥调,在沙龙和音乐厅中洋洋盈耳。文学调料太多,是会叫人吃腻的。于是,被冷落了几十年乃至百年之久的巴赫、莫扎特等又回到音乐会里来了。

我有时为现在的爱乐朋友担心,如果听惯了文学化的音乐,又看惯了"赏析"文章的文学化,会不会削弱了倾听纯音乐的能力,对于无法拿文学形象去套的音乐自身固有之美,食而不知其味?曾经帮助爱乐者进入音乐的文学拐杖,甩不掉便反而是桎梏。

再回到文学这一面，它不但因为与音乐结合从中受益，而且也开拓出了自身的新境界了。

萧翁真有意思。他既从音乐中听出文学内容，倡言"凡音乐无不是标题乐"，却又从文学中听出音乐："莎士比亚的崇拜者在倾听他把词语和诗句说得那么令人销魂夺魄……的时候，很少人感到他们是在听音乐。"（赫里斯《萧伯纳传》）

舒曼自云，他从让·保尔的书中学到的对位法比从乐理教师那里学来的多。萧则反过来，善于从音乐中取养料。他说促成他去写戏剧的，主要还是莫扎特。在《人与超人》中便借鉴了《唐璜》的音乐。莫扎特那种欢快与严肃在他剧中融合在一起了。而在《凯撒大帝》与《千岁人》中，又不难嗅到浓厚的瓦格纳味。论者又以为，如其没有贝多芬的《菲岱里奥》（其中表达了对政治犯监牢的痛恨），那么在《圣女贞德》中会让女英雄以那种方式慷慨陈辞吗！（据萧伯纳乐评文集中导言部分）

文学自觉不自觉地向往音乐，有形或不着痕迹地运用音乐，例子可能难以列举。

深受音乐影响的一部重大作品自然要数《追忆逝水年华》。论者以为，可以看出瓦格纳音乐的影响。也有人说读此书同时听听德彪西的音乐也很相宜。

人们喜欢购买而又难得看完的《尤利西斯》，也运用了音乐。那种随意性、暗喻性与拼贴画似的组合效果，又反转来给当代先锋乐人凯奇[1]等以启发，用之于他们曾耸人听闻的音乐了。

其实，即使在过去的文学里，音乐已经不仅仅起着“插曲”的作用了。对音乐持偏激之论的老托尔斯泰，其实对音乐有深嗜。所以不但《克罗采奏鸣曲》中有贝多芬的音乐，而且《童年》中有《热情》，《家庭幸福》中有《月光》，《复活》中男主人公听《命运》。

文学与音乐交相为用，打成一片，这种种现象使萧的话听起来不那么过火了：“不论一个人如何读过但丁、歌德，还是叔本华、康德……若不知有《魔笛》，也未曾沉醉于《合唱》或《指环》之中，那就不免还是个无知之徒。”

每一想到文与乐的纠葛，又总会想起朱谦之的《中国音乐文学史》。古代中国文人墨客似乎乐感发达得可惊：“哀响馥若兰”（陆机），“犹吹花片作红声”（杨万里），“风随柳转声皆绿”（严遂成）。通感通到色与香，简直像个现代派了。文与乐结合的历史悠长，旧体诗词、古文乃至八股文中浸透了音乐感。为何难以谱曲的新诗未能顺利发展呢？从西方文学的为音乐所用，自然也想到了中国文学中蕴藏着多少好东西，期待着转化为音乐！比方说，我们能有朝一日听到《红楼梦》的“音译本”，而且是不止一种吗？

1　即约翰·凯奇。

朋友交谈默契之乐

朋友早就促我谈谈室内乐这话题，但因所听恨少，所知恨浅，拖延至今，姑妄说些杂感交卷。

一个真诚喜欢音乐的人，入了门，登了交响乐之堂，是不是就"听止"了？否！还应该"入室"，到室内乐中去求一种有所不同的乐趣。"室"小于"堂"，但别有天地。听室内乐也许比听交响乐还多一些困难，这也是对爱好者的一种挑战。

室内乐，交响乐，显然是两种气派两种味道。交响乐慷慨激昂，雄辩滔滔，你被洪流卷走，被说服、征服，你自觉渺小，失去了自我，"为乐所有"了。室乐则不然，大都平心静气，朴实无华，甚至令人觉其平淡得乏味，难得有哪一部四重奏叫人一见倾心的。它既无管弦音乐的色彩、声势，又没有独奏乐曲的娇声媚态。有趣的是连提琴的声音也不一样了。在协奏曲中，独奏小提琴的音响是紧绷绷的，而室内乐中的弦乐是那么温文尔雅，从容而言之。

此中却有真味！即纯乐之真味。室内乐一般是不适合加以文学化、视觉化的，所以标题乐难有用武之地了。同时室内乐又是一种知己之间倾心促膝交谈、论难之乐。朋友之乐！我们旁听者虽不可谬托知己，却可洗耳倾听，会心而相视一笑。

室内乐原先就是在为数不多的人面前演奏的。地方不必大也不能大，不然会冲淡了亲切感。倾谈者有时竟是纯粹自得其乐，忘了或不乐有第三者在场。

这种使人着迷的魅力之大，有古今两例可说。

一是与巴赫同时代的所谓开明君主腓德烈[1]大王。巴赫1747年用他出的主题，御前即席演成一曲，后来题为《音乐的奉献》。从画家门采尔的素描上看，大王是个严峻的"马上君主"，但他虽尚武，却又喜文爱乐，不但能吹长笛，且能作曲。还在即位之前他便不顾父王盛怒，时常偷偷地同侍从玩长笛二重奏了。

再一例是爱因斯坦。这个提出相对论的大科学家极愿同别人搞四重奏，无奈他虽七岁便弄小提琴，但基本功不行，因此唯恐别人嫌他。（一个在合奏中常常乱了拍子错了音，害得大家又得从头来起的人，肯定像一个常踩舞伴的脚的人那样不受欢迎！）从传记中的叙述可以想见这位囚首垢面的大科学家那副羞涩、尴尬的可怜相，叫我们崇拜者不胜其同情！他同提出

---

1 Friedrich，现在通常译为腓特烈。

量子论的普朗克是一对乐友，而且都嗜好巴赫。有一夜，一个拉一个弹（一架"音律纯正的"小钢琴上），乐而忘倦，直到天快亮！

就连一天到晚疲于搞音乐的职业乐人，有空弄室内乐不仅是休息而且是享受。小提琴家西盖蒂便是如此。他的挚友休斯为其酷嗜室内乐所动，也要参加，拉海顿四重奏（技术不难）中的第二小提琴（也不难），第一章硬着头皮对付过去，遇到快速难句由西盖蒂插上去代庖。慢乐章中"二提"主奏"如歌"的一段，他满以为不成问题，才拉四小节，西盖蒂受不了，一把推开他，自己拉下去（此见于《西盖蒂论小提琴》一书中休斯之序）。

还可联想的是托尔斯泰。他既喜独弄，也爱联弹，平常是同家人（夫人、儿、女都好乐），有时是同来庄园作客的乐人。恐怕正是室内乐这种乐与情的体验，促成了《克来采奏鸣曲》的创作，而并不仅仅因为凑巧有某小提琴家为模特儿。二人合奏，比起一个奏一个听来是更迫近、更亲密的交流，此其所以害得小说里一双男女惹出了乱子吧！不过，贝多芬这一部奏鸣曲中所抒之情，同新派旧派皆为之哗然的小说中的情与事了不相关。

我觉得，想"入室"的，不妨从莫扎特、舒伯特和德沃夏克三家的作品入手。

听莫扎特那一束小提琴与钢琴奏鸣曲，会觉得像几个天真烂漫的儿童在绿茵芳草地上，浴着春日的阳光欢乐嬉戏，贝多芬的《春天》小提琴奏鸣曲，也如无邪的少男少女的对唱共舞。舒伯特《鳟鱼》五重奏，是结伴游春者一面漫步，一面联句唱和，共赋田园诗。贝多芬最后的几部四重奏，是烈士暮年壮心不已的沉思录。德沃夏克室内乐中的精品如《屯卡》[1]三重奏、《美国》（或名"黑人"）四重奏和《降 E 大调五重奏》，其特点则是用波希米亚或美国黑人、印第安人的口音在叙谈，又别是一种风味了。他那篇小不点儿的小提琴小奏鸣曲，极其平易近人，教你听到山村人民的炉边一席话。令人联想到霍桑的一篇小说。

音乐并非都以"如歌"为美。室内乐听起来更可以谓之"如话"。当然，知心人的会心之语对于陌生者是不大好懂的。而且听这种交谈，你不能像听独奏曲那么只注意一个人发言。即使是小提琴奏鸣曲，那也是二重奏，钢琴与小提琴两者是不断地互为宾主的。听贝多芬的《春天》，单是那对答如流的效果就够漂亮的了。而听这种从对话中展开乐意，演绎出全篇文章，要比听独白更有味更有劲。

室内乐中最完美的搭档，是弦乐四重奏。贝多芬一生的音乐思维不断在发展。有意思的是，人们发现，他往往以一组钢琴奏鸣曲开始其创作的新阶段，而以四重奏总结之。到了晚

---

1 *Dumky*，现在通常译为《杜姆夫》。

年，听觉上与外界更加隔绝，也便更加内省，谱出他最艰深的五部弦乐四重奏。那绝非《第九》可以代替的（反过来也一样）。要追随这一组作品中他的思路，谈何容易！但纵然不能完全听懂，如果你已听了不少他前期和中期之作，听惯了英雄气概的雄辩滔滔，此时一听这些四重奏，你会惊诧于他又改换了语言、声调，像中国书法家的"人书俱老"（孙过庭《书谱》中评王右军），那是一种极苍凉之致的境界！

失聪之后转向室乐的例子还有斯美塔那，他的《我的一生》可说是室乐中少见的标题性作品。日夜为听觉紊乱所苦，他将这苦恼的感受也描在四重奏曲中了。

老柴的四重奏，人们多半只取那篇《如歌的行板》。托老为之泫然涕下的这篇音乐，我们已耳熟得快要丧尽新鲜感了。这是大可惋惜的！此曲有多种改编，近年又听到一种大提琴与乐队合奏的版本（据云还是作曲者自己动手改的，然又不见于他的作品目录中）。这一改，却改掉了原作特有的室乐味。因此，还是要听四重奏原作，让四件弦乐器（也是最近于肉声，最有"人味"的乐器）来共同吟唱这支农奴的小歌，这温顺、忍从而深怀怆痛的无告者的"呻吟语"。也切莫要只盯住那"主旋律"，要分心倾耳于被编织进去的其他曲调和声音，（比如后半部那固执而无生气的拨奏声，一种厌世的听天由命的声音！）要细味其合成的音响，（须知，弦乐四重奏是"人们创造的最佳结合"！）如此，声情并茂，你才能在心里遥伴着悲天悯人的托翁一同泣下数行。

　　不像协奏曲之类体裁的容易浮夸矫饰哗众取宠，室乐尤其宜于说真情实话。但假如听者无共同语言，或作者以晦涩的手段孤芳自赏，室乐又比别的乐种更不好接近，"入室"便难。

　　不好懂也有另一些情况。肖斯塔科维奇作了大量室乐曲。一听很容易联想到贝多芬。他当时感时伤事，多少话又未便明言，便借这"纯乐"来写"无题"之诗。而像理查德·施特劳斯和马勒，他们擅长于调动膨胀了的大乐队发挥其雄辩术，在其曲目中便找不到室乐性的作品（如不算声乐作品的话）。歌剧大师们也难得到这堂奥里来冷却一下他们过度地"放大感情"（张爱玲语）的头脑。罗西尼和威尔第的室乐作品于是也物稀为贵（从曲目上看都只有一首）。这又可知，虽然室乐文献中不乏言之无物之作（旧俄"强力集团"中人好像有这类"集体创作"），它却是自有其天地的。

　　它原先很少搬到大庭广众中去演奏，也少有固定的专业性的组合。19世纪以来，独奏会由李斯特作俑而大盛，室乐的公开演奏也便多了起来。但也就像舞台上剧中人的"高声耳语"，不免失却了原有的亲切自然与真诚感吧。演奏者也从原先的业余自娱转化为专业性。往昔的爱好者不难凑合起来拉拉海顿、莫扎特，还有那意大利风味的波克里尼（他那首听不厌的小步舞原来是弦乐五重奏）。后来的作品则除非是经过专业训练的，有合奏经验的，便只能像上文中的休斯与爱因斯坦一样望洋兴叹。贝多芬晚期之作，即以技巧而论，也不是演奏家好对付的。至于现代室乐之复杂、别扭、古怪、拒人于千里之外，更不必说。听者的耳朵如果未经训练，也会茫然不知所谓。

这种亲切交谈的艺术，其实要演奏得好是绝非轻而易举的。在四重奏这个"四架马车"中，第一小提琴起统率作用。大提琴要当好基础。"二提"和中提琴处在内声部，有似陪客，而其实对构成整体不可或缺。后三者在往昔的作品中很少有机会一露头角，自贝多芬以后，四位友人平起平坐。试听《如歌的行板》中那中提琴的温柔敦厚的声音！或听那《黑人四重奏》第一章里小、中、大提琴的更番歌唱！还有那鲍罗廷四重奏中的《夜曲》，四件乐器如一班好友正作长夜之饮，曼声问答，乐味中人欲醉，有如旨酒！

一个重奏组演奏起来，听者只觉其协调一致，浑然一体，音响如此和美；殊不知这不但有平时排练中下的功夫，还要加上临场的随机应变。他们既要有各自的个性，又甘心融入集体以形成一个集体风格。这需要真正的知交之间的相互默契。室乐演奏的独特乐趣与魅力，正在个中。说它是集体创作，当然可以；形容之为一个不求名利的编辑组之类，也像。恩格斯自喻为"拉二提的"，当然指这种重奏中的角色（乐队中的"二提"可就不止一人了）。一般独奏会中，风头出足的是那个帕格尼尼式的独奏家，钢琴伴奏者姓甚名谁，人们都不去注意。

乐队演奏，一曲方终，接受山呼雷动的是那个上百人听命于他的指挥。四重奏组完全是另一种风度。这同他们演奏的音乐也是风格一致的。

最遗憾的是室乐文化在中国冷冷清清，作者、奏者、听者，恐怕都稀少。马思聪作过几部四重奏，有一部是从京韵大鼓得了灵感，可惜都听不到演奏。四重奏组也曾有过几个，似乎主要为了去外国参加比赛而仓促凑成。至于当代新人新作，听到的太少，听懂的更少，不能乱说。

也曾向一些专业和业余的爱乐之士探问过：是不是可以结合起来弄弄室乐演奏以自娱也娱众，都摇头不迭，说哪来的时间！我太息如今的人处名利场中，或为稻粱谋，或作繁华梦，再无闲暇与兴致来享受这种与朋友交谈共话的艺术了！

特殊的译本

少年时自学英语，从一本简化本《鲁滨孙漂流记》起步。它一共不到十页，比起洋装一厚册的原著来，无可再简了。

乐曲也有这类简化本。亨德尔《弥赛亚》中的《哈利路亚》大合唱，19世纪有一种改编谱，改成只用两支长笛的二重奏。看到那简到只剩两行曲调的谱例，便不由得联想起那本缩简了的《鲁滨孙》，有滑稽之感了。

犹记曾在上海四马路一家弄堂旧书店里翻出一本曼陀铃谱，其中不但有改编的门德尔松小提琴协奏曲慢乐章，竟还有罗西尼的《塞维利亚理发师》序曲！淘到手为之惊喜。

化繁为简，是由于爱乐者有此需要。在留声机没发明的时代固然有此需要，今日的我也仍然对这种改编谱的供应者怀有感激之情。

仿照"科普"的说法，这可称"乐普"读物。它既可作读乐之一助，又便于让爱好者亲自动手弄弄音乐，更贴近地尝尝乐中之味。

"乐普"中唱主角的是钢琴。萧伯纳有一篇乐评文字专论此事，他认为，没有印刷术，光靠舞台，莎剧无从普及；没有钢琴，光靠音乐厅，严肃音乐也难以普及。

他这话尤其切合于交响音乐的普及。不必说一般爱好者了，有些作曲大师也是从钢琴改编谱中开始钻研那些交响音乐经典的。19世纪，许多管弦乐曲往往是乐队总谱与钢琴改编本同时问世，有时后者反而先同人们见面。那对象当然不仅是专业乐人了。

我辈真是幸运，唱片、磁带可以让我们饱听最好的演奏。然而交响名作的钢琴改编本仍然很有用处。一般乐队总谱读之不易，需要练就一目十行的本事；简化为钢琴谱，一目两行便可对付了。配合着听，帮助你抓住头绪，熟悉原作。假如你肯听萧翁在上述一文中的劝告，学他的办法，大胆到琴上捣鼓一番，就会更直接地接触那音乐，参与诠释，获得莫大受用。这类似李笠翁说的："观人画不如自画。人画之妙从外入，自画之妙由心出。"美国乐人柯普兰有慨于"自从音响器材大普及，人们反而不大会听音乐了"。也说的是欣赏不能陷于被动，缺乏参与。

当年曾不止一次呆立在一家琴行的橱窗外，盯着里面的两大本贝多芬交响乐全集钢琴谱，可望而不可即！后来有了一部苏联版的。在"动乱"中舍不得精简，只是忍痛将封面上的作者头像用浓墨涂黑了，以掩耳目。

改编并不都为了普及。很多改编是一种移植。比方原来是钢琴曲的许多小品，被大量移植到小提琴或别的乐器上，有的竟使人忘其原作。《梦幻》《幽默曲》，只听过改编的而不识原作何味的人，也许不会太少。

这种移植早已有之。巴赫不仅改编他人之作，也将自己的小提琴协奏曲改为羽管键琴协奏曲。《D大调小提琴协奏曲》是贝多芬的杰作。他后来又改之为钢琴协奏曲。（遗憾者至今也未听过！）

一经移植，表现工具的个性不同，音乐韵味自然也起了变化。《梦幻》这一曲，小提琴似乎更能传那曲中哀伤之情。但这一改，主旋律突出了，钢琴退而为配角，原作中的复调织体也就模糊暗淡了。更明显的例子如柴科夫斯基的《如歌的行板》，克莱斯勒改编为小提琴独奏。弦乐四重奏的醇厚原味全失。这种移植只能说是不大可取的了。

人声传情更为直接，声乐作品改成器乐，效果要打折扣是自然的。李斯特是移植艺术的巧手和热心人。舒伯特的艺术歌曲，有些便由他搬上了键盘。例如《小夜曲》。弹这种改编本，你一身二任，既是独唱者又当伴奏人，别有意趣，但旁听者不一定会满足。《魔王》有人改为管弦乐曲。戏剧性也许比舒伯特原作浓厚了，但素朴的宣叙、抒情味却淡掉了。

例外也是有的。爱尔兰民歌《伦敦德里小调》恐怕可以算是世界上最动人的曲调之一。有人却以为，人唱不如让小提琴来唱。听过克莱斯勒改编并演奏的录音，我觉得此话有理。再如福斯特的《金发的珍妮》，斯特恩奏来也绝不比人声的感染力弱。

说是移植，更似翻译。一部文学名作常有几种译本，对照而读，颇有意思。乐曲中也有这情况。钢琴曲《军队进行曲》，我们听得耳熟的，不过是原作四手联弹曲的一个改编本。另外还有一种独奏本，是演奏会用的，经过名手"加花"，穿上了华丽服装，也更加威风堂堂了。但也许并不符作者原意吧？

韦伯的《邀舞》，配器大师柏辽兹改编的管弦乐曲当然比原来的钢琴曲更有光彩。另外还有两种"译本"，可惜未能流传。

巴赫的无伴奏小提琴奏鸣曲中，《恰空舞曲》一章尤为烜赫，被移译为只用左手独弹的钢琴曲，不止一种，且都出自大名家手笔，如勃拉姆斯与布松尼。但我听原作，总觉有个距离；后来偶然听到一种古典吉他"译本"，不觉便心入其境，也使我对吉他的表现力肃然起敬。

管弦曲翻成钢琴曲，配器效果大为减色自不待言，原作的复调和声也不得不有所删节。因此即便是听李斯特"译"的贝多芬交响乐，虽说原作的感人之力绝不会消失，但其交响思维的精彩笔墨不免削弱了。

反之，将钢琴原作译成乐队曲，是否更强化了表现力呢？这正是音乐家乐于从事的一件工作。于是连极短小的《f小调瞬间音乐》之类都被加工成了管弦乐曲。有些"译本"，忽然以绚丽多彩的面目出现，听了简直难信是出于那么朴实无华的原本了。但也并非都比原作生色的。有一种改编为乐队曲的《月光曲》第一章，其味大变，至少是多此一举！钢琴这乐器，原有它自己的"配器"，自己的语言。

柏辽兹、里姆斯基-科萨科夫，都倚仗管弦乐发言。这两人所作，译成了钢琴曲（如《天方夜谭组曲》）便黯然无色。肖邦情有独钟，专以钢琴为喉舌；他的作品移到别的乐器上也是索然无味。尤其他那首遗作《升c小调幻想即兴曲》，可以说是不可译的。有人改之为乐队曲，听起来不舒服。快速部分太火气，水彩变成了油画；慢板那段又嫌线条太硬，有如重描过的法帖！

文学作品中，译诗是吃力不讨好的。肖邦以钢琴特有的语言来吟诗，其不可译也无怪其然。

好"译本"大有益于音乐文化的普及。俗恶的改编曲只能迎合庸人口味，污染爱乐者的听觉，也是对严肃音乐的侮弄，只好置之不论了！

伍光建译的《孤女飘零记》，奚若译的《天方夜谭》和林琴南译的《块肉余生述》，明知其不忠实原著，至今我仍有再读的兴趣。读乐则追求原味，"译本"再好也已"下真迹一等"。可是近年听到几首改编曲，又不敢坚持原来的想法了。

正像肖邦，德彪西的作品也不好译。所作《月光》，改为小提琴独奏也好，乐队合奏也好，都显得太"实"了，不如原来钢琴上的空灵飘逸。

他的《亚麻色头发的少女》，改成小提琴曲，也成了复制质量低劣的印象派画片。

正因为如此，偶然听到日本乐人富田勋改编的电子合成器音乐，真是意外地惊喜。改编者利用电子乐器的特性，调制出管弦乐所无的音响，放大、加工了这幅少女的肖像，于是好像有了更大的景深、更微妙的色调。原作中莫名的惆怅之情在合成器的音响中扩散得愈加朦胧而缥缈。主题再现时，音调极高而锐，虽同弦乐上的泛音相似而又别是一种滋味。画中人更加遥远了，追怀的情绪也更浓烈了。

另一首高妙的译作是同一作者的《阿拉伯斯克第一号》。本来是仿阿拉伯风格的花纹之意。它像支练习曲，貌似潇洒，实则在图案花纹的外衣下掩盖了复杂的隐情。改编者运用合成器语言对原作进行了配器，"无题诗"中的标题忽然变得不难揣测了。似乎有个伤逝者，在白日梦中自言自语。时而以歌当哭，后来又用口哨吹起那支凄凉的曲调，似乎百无聊赖，用这来驱散无边寂寞。口哨效果是利用了合成器功能给悲凉的主题加了滑音，电子乐器上滥用滑音本来俗不可耐，此处却化臭腐为神奇了！

听了这改编曲,才知道自己对原作读得欠认真,赶紧重行印证。深感德彪西并不是只爱用乐音来调色作画的人。于是又记起他说过的:在小咖啡馆里,听一个叫 Radics 的吉卜赛流浪艺人拉提琴。琴弓才一触弦,便使他如处深林之中。琴声唤起了灵魂深处的忧伤,像是从保险箱里一下子掏出了秘藏之物,云云。

那么,日本乐人这两首"译作",岂不也正像那流浪艺人,把原作者曲中与心中之秘掏给了我们?

恐怕,一首乐曲不存在什么真正的原本。有一个演奏者的释读,便有一种"译本"。在读这"译本"时,假如我们与之契合共鸣,那正是或深或浅地参与了"翻译"了。而且多半是一种"意译"吧?

【附记】

德彪西的《亚麻色头发的少女》和《阿拉伯斯克第一号》,日本某乐人改编成电子合成器音乐,其中的口哨声有极凄凉的味道,可以叫真心听赏者揪心酸鼻,不由得悲从中来,不能自已。口哨本来是无忧无虑的人信口吹来以自娱的,有时也只适合那种轻薄少年的形象,谁知在一定的背景与上下文对照之下,竟显出如此可惊的效果!

电子合成器的制作者,有这样高明的处理,真是极可感谢的。虽然,这却也并非他的首创。有一种《亚麻色头发的少女》改编的小提琴曲，是经过德彪西首肯的。其中，主题便以泛音的奏法再现，而提琴上的泛音正是像在吹口哨。可惜这种泛音往往滥用，所以不那么吸引人和刺激想象了。合成器改编曲作者手法高明，还在于他将这口哨声强化，而且加上滑奏，这样便加浓了悲凉之味。

何以口哨声使人对个中人的情绪有那些联想呢？偶然重读斯坦尼斯拉夫斯基《我的艺术生活》，得到一个印证。契诃夫在看了《万尼亚舅舅》的演出后提示导演：剧中人阿斯特洛甫应吹口哨。斯坦尼纳闷："万尼亚舅舅在哭，此人还吹口哨？悲惨绝望，却吹出愉快的口哨？""但在后来的某次演出中……我吹起了口哨……我立刻觉得口哨是真实的。阿斯特洛甫必须吹口哨。"（《我的艺术生活》中译本第三百二十八页）这段关于戏剧表演艺术的体验之谈恰好为《阿拉伯斯克第一号》电子合成器改编本提供了一条精彩的注脚！

以前，自己将音乐作品的改编看成"译"，联想文学译本之得失，没想到，中西前贤早有妙喻，正好与此现象成为倒影。"叔本华谓翻译如以此种乐器演奏原为他种乐器所谱之曲调"。朱熹论援佛说入儒言，"正如用琵琶秦筝……奏雅乐，节拍虽同而音韵乖矣"。（《管锥编》第一千两百六十五页）卫道的朱熹当然是不会赞成那种走私一样的"移植"的。但严肃音乐中的移植、改编，颇有一部分是别有苦心，而并非出于消极、实用的目的。

舒曼和李斯特，这两位并世而且相识相亲的浪漫乐人，都听过帕格尼尼的神乎其技的演奏，都为之五体投地。帕氏的传世名作《随想曲》是一种高难度练习曲，而又特具艺术魅力。两位大师对它都做了移植为钢琴曲的努力。同曲而异工，舒曼说自己意在表现原作中的诗意而不重在技巧性；钢琴大王却不同，他是想在迥不相似的乐器上用不同的手段取得可与帕氏原作相媲美的效果，把钢琴演奏的奥妙传之于后人。

令人感兴趣更令人感动的是，李斯特将自己的改编本和舒曼的印在一起，公之于众，让人们对照着读。还有件事可证此公之不凡，他把帕氏的一篇随想曲前后动手改编了三次之多。有时是为了降低难度，有时则又力图在键盘上再造原作为提琴手所设置的困难。（见威尔金森《李斯特》一书。）

前文中提到巴赫的《恰空》，那也是"译本"中严肃求真求美的好例子。此曲乃巴赫的无伴奏小提琴组曲中最烜赫之一章。可巧，这篇复调效果神奇的乐曲，正适合改为只用左手独弹的钢琴曲。这种"孤掌不难鸣"的钢琴曲，既可供那些独臂琴人使用，双手俱全的钢琴家也常用来卖弄其左手的功夫。于是巴赫这篇名作的钢琴改编曲也就有不止一种了。其中包含勃拉姆斯改作的一曲。

简化、省略，是改编者常用的手段；但添枝加叶，乃至画蛇添足的也不是没有。有趣的例子是把帕格尼尼原本不用伴奏的《随想曲》给加上钢琴伴奏。比这更引起争议的是巴赫的

"无伴奏"变成了"有伴奏"。匈牙利小提琴大师西盖蒂简直是带着忏悔之情回想他年轻时也犯了这种罪过，拉过被加上伴奏的巴赫作品。

"自由，自由，种种罪恶假汝之手以行！"罗兰夫人这话，靠了饮冰室主人对她的介绍，成了中国人熟知的名言。《牛津音乐指南》主编斯科尔斯像是借此话之意说："改编的种种罪恶，是假芭蕾之手以实行的。"从广为流行的《仙女们》（《肖邦组曲》）等芭蕾音乐来看，此言不虚！但正如经典与文学翻译的功过难以评说，音乐改编中的是非也是不好那么简单论定的。每听到庸俗的改编曲，自不禁为原作者抱屈，但我更常想到的是改编曲大有功于"普乐"。如果没有改编的钢琴本，当年托尔斯泰一家人便不可能在他们远离京城的庄园里弹弄、欣赏贝多芬的交响曲了。

可叹的是有不少中国爱乐者，把许多丑化、俗化了原作的改编曲当美食，而此种污耳之声却又是用现代 Hi-Fi 音响技术加工"美"化了的。有些人趣味高一些，也常满足于听改编之作而不去品尝原汤原味。

其实类似的现象也有，古书、古文的白话今译，今天不也大有市场！

读曲听心声

　　虽然是迷上了西方严肃音乐的人，从我小小藏书堆中却可以找出《梅庵琴谱》，而且有三本。一本印于 20 世纪 30 年代，一本是 1958 年重印的，还有几年前重印的一本。如加上化为"文革"劫灰的两本，共有五本之多。

　　梅庵琴派是继承诸城派的。琴曲文献，卷帙浩繁。《梅庵琴谱》自不算怎么古老，却也受到海内外琴人的注目。

　　本人并非操缦之客，也没条件究心琴道，拥有五本《梅庵》，自有其因缘。第一本到手是 1942 年的事了。当年我在音乐上刚刚脱盲不久，惊喜于发现了西洋古典音乐这个新天地，也给古琴的磁力吸住了。是少年好胜，还是好奇之故呢？偏不信"古琴最难学"，也不管"天书"（琴谱，贾宝玉说的）古怪难识，靠着一本《梅庵》、一本王光祈的《翻译琴谱之研究》，听听友人的弹奏，再去借了张笨重而声如木石的新琴，埋头拨弄，渐渐地粗通了它的弹法。琴谱中那些"小品"，如《关山月》《玉楼春晓》等等，试译为五线谱，可以自弹自赏了。从此便建立了感情，但也再没机会"深造"。几十年来，虽然越来越醉心西乐，但与之大异其趣的古琴，好像成了"参照系"，让我有可能对两种音乐思维作些比较，对二者都保持一种新鲜感。

每逢爱乐知己，总忍不住要怂恿人家去听古琴。总要说：不听古琴，就不知道世界上还有西方管弦乐器不能代替，有其独特功能、个性的奇妙乐器；不听《平沙落雁》等曲，就不知道在西方标题音乐之外，还有这种写意的"音画"；不听《潇湘水云》，就更想不到，远在西方音乐还没从中世纪的冬眠中醒来的八九百年前，中国人竟谱出了如此深沉的"音诗"！

这可不是做广告，推销什么音响商品。《平沙落雁》，明代就收录在琴谱里了。我有机会听过几种不同流派的演奏。《梅庵》中的一种，最熟，也让我最感到满足。

传统的中乐，只看标题，简直都像"标题音乐"。有的还加上若干小标题，仿佛作曲人真要描一张工笔画。其实，很多是不宜求之过深的，牵强附会更要不得，只可以意听之。

听《平沙》，我就从未在想象之中具体描出一幅"芦雁图"手卷。所领略到的是一种恬然自适的意趣。不像那种静止的平面图画，而是静寓于动。在旋律线条的运动中，意象在演进着。很可以比作无心而善变的冉冉春云，舒卷自如，氤氲弥散，化而为轻清寥廓。只觉得空灵澄澈，真似乎"物我相忘"

了。至于尾声中有一段拟声的雁叫，别派的传谱中并没有。我则认为不要它可能更符合整体的意境。

读《平沙》品到的韵味，读宋元山水名作也常有感受，但又似有所不同。"外师造化，中得心源"。宋元山水是真正"师造化"的。但又由于"心源"的作用，美则美矣，可总是冷冷清清，"高处不胜寒"。纵然是可游、可赏，但又令人不乐居。这同读文艺复兴以来的西方"山水"，感觉很两样。冷暖自殊，恐怕是因为一个出世一个入世的缘故吧。然而《平沙》并无荒寒萧瑟之感。清淡虽清淡，却还蕴含着某种生趣。曲题虽然是"物"，并不把镜头直接对准物象。所咏叹的仍然是那个恬然自适的人，也即作者的眼中之景、心中之境。而这是更需玩味的。因而不知听过多少遍还从未听腻过，那滋味如品佳茗，久而弥醇。

其他琴曲，可惜听得不多。20世纪60年代见识了神往已久的《广陵散》。"打谱"这种释读古谱的方法，真能再现原作的真貌和精神？对此不能无疑。就当它是古、今人的集体创作来听吧。听了那慷慨激越的音调，确实非同凡响，我对古琴的表现力有了新的感受。听它，常常会想到贝多芬的《暴风雨》与《黎明》两部钢琴奏鸣曲中的慢乐章。

脱离"文革"苦海，浮沉于乐海之中，过了一番大听西方名曲的瘾，沾沾自喜，以为所饮已不止一瓢水了。哪知一听到《潇湘水云》，又经历到意想之外的强烈"共振"，既惊且喜！当初听《贝九》，激动得不能自已，可谓相距一个半世纪的"共振"。那么，听《潇湘》则是回到八百多年前去听作者交心，效果又是如此的不"隔"，真不知是时光倒流，还是时空消失了！

身为中国人，又嗜读宋、明末世痛史，我听《潇湘》，感触之深，联想之杂，难以言传。

抗战中曾有幸在"孤岛"上看过史剧《正气歌》。历史感与时代氛围合而为一，至今不能忘。听这首南宋人谱的音诗，历史感犹如电击。"唯乐不可以为伪"！它正是乐中之史，而且是"信史"，是南宋人心声的录音。而心理与感情，正史、野史都是无法传真的。

《潇湘》那年代，正是大厦将倾、人民受难之时。这音乐好像是把乱世人民的忧愤浓缩了，发而为深沉的浩叹。联想到：一方面是"底事昆仑倾底柱，九地黄流乱注"；一方面又是"西湖歌舞几时休""直把杭州作汴州"；构成了历史镜头的蒙太奇。我想，作者郭楚望当年既然做过权奸贾似道的门下客，定然看够了"厚黑学"的表演。此际避居到屈子披发行吟之地，家国之痛，都来心上，问天无计，避秦无地，也只有靠七弦上的宫商来倾吐了。这首曲和许多"闲情偶寄"的琴曲是绝不相似的。

中国式的"标题音乐"虽然是写意寄情，也并非不能唤起具体的联想。《潇湘》既是史剧中的"咏叹调"，又使我如见那舞台上的背景：像是董源的《夏山图》。这也正是那有关记载中点出的："舟中远望九疑山，云水奔腾，感怀而作"了。愁惨的自然之景与景中人悲愤拂郁的情怀互相渗透，环境、心境，打成了一片。说来难信，听时往往真似呼吸到南方山泽地区的湿闷空气。前人听《梅花操》，不也"觉得暗香袭来"吗？倒可证其不诬了。这种心理效应，是可以得到解释的，并不玄虚。

中国历史是一条长河。中国音乐是一条长河。遥听，听到战国编钟的大声镗鞳；近听，听到如怨如诉的《二泉映月》。音乐之流绵绵不绝流淌了几千年。琴曲正是这源流中一股很有生命力的活水。生民多难，古谱失传，害得我们既听不到真正的"风、雅、颂"，汉魏乐府；也听不到唐宋的法曲仙音。好不容易"破译"出的《敦煌琵琶谱》，至今聚讼纷纭。令人神往的古代乐章，几乎统统哑然无声。真是刻骨的遗憾，令人徒唤奈何！然而，有百数十种古琴谱幸存至今，保存了为数可观的琴曲。尤其可庆幸的是有一部分是"储存"在各派琴师的心里，手传心授，"薪尽火传"，接力似的传到了今天。其中便有《潇湘》这样的伟大杰作，这是何等值得额手称庆的事！

可是我总觉得，古琴并没有得到更多的人倾听，大是憾事！尽管这些年来，抢救、研究、普及的工作做得不为太少，《琴曲集成》更是一大工程；然而今天的古琴，恐怕还是相当寂寞。知之者不多，爱之者似乎更是寥寥。试看面前的三种

《梅庵》，第一、第二两种早先印的，印刷都不坏，纸、墨、装订，看上去舒服。几年前新出的一种，蜡纸刻写油印的，薄薄一册，不禁令人有琴学式微之忧了！

以往，想学琴，首先就无从弄到一张琴。如今总算有了琴厂。我看，只是供应些练习琴，那是不够的。西方人孜孜于将古代名琴开膛破肚，解剖、化验，为的是研制优质提琴。有的已经可以隔帷乱真。我们为何不能下功夫造出上追唐宋水平的七弦琴，如像"九霄环佩""鹤鸣秋月""天风海涛"等等那样的？而且更应借助现代科技，超越前贤才是。古来不但有唐朝雷氏那些名工巧匠，许多琴人也关心此事，不止传艺、传谱而已。朱熹这道学家也监制了"大成琴"哩！即如《梅庵琴谱》，翻开来就有制琴法式介绍，还附以图样。当年借来学弹的便是一位夏君业余自制之器，可惜琴材不行。

甚至可以想象，假使借鉴外乐，壮胆革新，让古琴改弦更张（古琴的上弦是麻烦事！），脱胎换骨，哪怕被讥为"古琴不古"，又有何惧？"众器之内，琴德最优"。嵇康早就这样评价。精于琴道，以《广陵散》为绝命歌的，正是此公！我之所以说琴有特殊功能，别的乐器不能及，根据在于：它虽然靠弹拨来发音，却能在不设品、柱的指板上通过移指、滑指的办法变动其音高，从而取得完美的"圆滑奏"（legato）效果（但又不像"单弦拉戏"之类的单纯模拟唱腔与语调），向歌吟之声靠拢，有利于发挥歌唱性。再加上它能运用"散、实、泛"

音不同音响的对比与衔接，变幻其音色与浓淡。而"吟、猱、绰、注"等多种指法的应用，既强化了歌唱性，又形成了特殊韵味。初听古琴，会觉得它的音响并无耀眼的光彩（竖琴则相反）；熟听，便像水墨画的"墨分五彩"，色调复杂微妙。种种特色，综合成了古琴的语言。"天书"其实是不科学的"手法文字谱"，但将这上面的文字还原为琴音的语言，发挥得好，泠泠七弦上便涌现了流动着的七宝楼台。

古人云："丝不如竹，竹不如肉。"歌唱性强的琴，正是颇有"肉"味了，当然利于以声写情。可是琴是弹拨发声的，与肉声并不相似，所以又是很器乐化的，可以创造肉声无能为力的效果。《流水》中那"猛滚""慢拂"几十个来回的效果便是一例。

曾经有过狂想：古琴曲高和寡，也许暗含着将来的潜能爆发。有朝一日，异军突起于世界乐器之林，金声玉振，大放异彩，没有可能吗？

写到此，重温了一次特异体验：初听《玉楼春晓》的感受。几十多年前的印象虽不复能再生，记忆是残存着的。古琴泛音之美，美得惊人。别的乐器我看没法比。"玉楼"正是用一串晶莹的泛音旋律开始的。清楚记得，当时好像珠帘卷起，悚然见到"汉宫春晓图"的一角。更不可思议的是，这图形，像是黝黑的古漆盘上金碧镂嵌而成。艳丽已极而又阴气森然。乐声犹似发自九泉之下的幽宫！

这当然是极个别的特殊体验，不见得符合作者本意。然而，"作者未必然，读者何必不然？"对"活埋"于深宫的薄命者的同情，唐人传奇中的描绘，显然起了触发联想的作用。

骸骨迷恋，我绝无兴趣。"古调多可爱"，但不能总是古调重弹。中乐自古以来是单音音乐，是单线条旋律的平面织锦，不曾演进为多声的和声复调。我疑惑明清时羽管键琴与西乐的传入，恐怕是促进这一过程的绝好机会，而我们错过了！以单线条为材料的"织物"确已达到了高水平。即使只用一把二胡，拉一曲《二泉》，连异邦的小泽征尔也怆然涕下。但是"三维空间"总是比"二维空间"有更多的容量，让古琴也用和声、复调来思维，来歌吟，开拓更为广阔、深刻的意境，岂不美哉！

明末那位多才的张宗子也弹琴。《梦忆》中就有一篇《绍兴琴派》，写他们社中四人共弹一曲，"如出一手，听者骇服"。很是得意，其实，宗子有所不知，哪怕百人百琴如出一手又如何？大齐奏而已，无非放大了音量。

看过《老残游记》的，无不竞赏其"黑妞说书"，那是一段"绘声"文字，看来并非写实。倒是另一段妙文，无人道及，不知何故。那一段写老残之弟山中夜访黄龙子，听了一场"室内乐"。这写的正是多声合奏而非齐奏。在中国写乐的文字里，这恐怕还是破天荒头一次。虽然早在明清之际西方教士来华时，中国人早就应该听到西欧已高度发展的复调音乐了。

总之，向来以清微淡远为宗的古老七弦琴，完全应该回到人间世，吃烟火食，与当代人心共振共鸣！真希望听到我们的《热情》《黎明》！也应该有新的《潇湘水云》，录下今人的忧患心声，也好让千百年后的爱琴者，悄然以思，瞿然而惊！

遥想我们东邻，古时从中土带回去的琴道，也曾由盛而衰，经过某些西方人的提倡，又有了复振的苗头。于是我国的音乐学院校园里，又来了习琴的东瀛学子。近年还有中国音乐家携琴访欧，讲学、演奏。这都是可欣喜的消息！交流，引起"交感"，从来是一种文化"激素"。愿为七弦琴鼓吹。盼它由冷而热，不再寂寞。

【附记】

上文是十多年前写的。侧耳听今日"名利场"中的雅乐，古琴之声洋洋盈耳，"绝代佳人"已经不再自伤寂寞，而是雅俗共赏，很是时髦了。这倒是令人"出乎意表之外"的！

西琴的回响

英人埃勃第·威廉斯写的《管风琴史话》，是沃尔特·斯各特公司《音乐史话丛刊》中的一种。

布面上的烫金，书端的刷金，都已黯淡无光，倒有点古董味了。这同它 1903 年的出版年份自然是相称的。读起来也有那并不可厌的盎格鲁撒克逊学究味。原应该是一本写给爱好者看的书，不仅不厌其详地谈了许多关于乐器结构与制作之类的专业性细节，还有六种附录，竟占了全书三分之一的篇幅。其中之一是欧洲各地名琴名匠的汇录。这些，恐怕只有想深究的人才耐烦去细读吧。

然而这书中有味道的史实着实不少，可以丰富史感，引发思古之幽情。这也是因为，管风琴这东西，本身就是纪元前二百多年之际便已出现于亚历山大城的古乐器，而又曾是西方历史舞台场景中一种既庞大又喧闹的道具。

古罗马宫廷宴乐、仪仗行列中，都少不了这种"声如雷鸣"的铜制乐器。东罗马的君士坦丁大帝曾向法兰克的那个"矮子丕平"送去管风琴一架。而丕平之子查理曼大帝，也从阿拉伯的哈里发那边收到同样一份馈赠。这是相当于我们唐朝大历前后之事。

古罗马有一种血腥气的"海战"之戏，强迫死囚在灌了水的场子里模拟水战，自相残杀。此时吼叫起来助兴鼓劲的，便有管风琴。幸存的斗士被恩准站在琴旁，接受兽性大发的观众们齐声喝彩。

罗马诸帝中，有些人对弹奏这个弹起来很费劲的乐器有爱好（古代风琴键阔有几寸，要以拳击之）。波兰显克微支的《你往何处去》中写到的暴君尼禄即是其一。最后仓皇亡命，逃窜中他还发誓：如其大难不死，定要亲临斗兽场，在管风琴上一显身手哩！

其实此种令人掩耳退避的乐器，简单粗笨，只不过造声势、凑热闹而已。后来，基督教兴起，它乃从宫廷进入教堂。乐器性能改进，身价也不同了。皇权的卤簿一变而为宗教的鼓吹了。

乐史上，巴洛克时代最是管风琴大发宏声之时。一说到巴赫、亨德尔，就会联想到他们为这乐器谱制又亲自演奏的那些乐史鸿篇。比方，巴赫那《d小调托卡塔与赋格》，那一"大"一"小"的两首《g小调赋格》，那《帕萨卡格里亚舞曲》等等名作。不听这些宏伟得惊人的音乐，便难想象这个生涯平淡无奇的风琴手，胸中居然有如此浩瀚雄深的境界。也便可以悟到"他不是小溪，是大海"那句贝多芬的警句，绝非空洞的谀词了。（"Bach"一词，正是小溪的意思，试看《田园交响曲》第二乐章贝多芬自题的"溪边景色"小标题中就有这个词。）

假如没有近代管风琴这样的乐器，巴赫的乐思也就无从"物化"为美妙的乐音了。当时的羽管键琴也好，巴洛克管弦乐队也好，都担负不起这个重任。即使在现代，音响力量能够同交响乐队抗衡的独奏乐器，除了音乐会大钢琴也唯有这管风琴。"乐器之王"的称号是名实相副的。

这可并不是一架可以搬上台去用的乐器。它成了整个教堂建筑中的一个组成部分。它的"歌喉"是大大小小的管子。小的只有三分之一英寸长，最大的竟有三十二英尺长，直径二英尺以上。有一张照片上，十来个工人正扛抬着一根粗如大柱的琴管去安装！

这些琴管森然林立于会堂之中，向着听众的座席，琴声并非仅从某一点上传来，而是从好几方面来包围听众。再加上建筑物的回响与共振，那立体音响效果之妙可想而知！

演奏者所按的键盘也复杂得可惊。虽然看上去每一层键盘的键子比钢琴少，却有三层到五层手键盘，一层就等于一架琴，又各有其功能。演奏者的双手不是像弹钢琴那样在一个水平面上，而是在一个阶梯似的空间中上下左右活动。他的足下还有一排大键盘，让双足去奏那些最低的音。所以我们可以看到，凡是管风琴谱，大都有三行谱表联在一起。下面那一行正是双足要奏的音符。（当年曾在上海棋盘街一家弄堂旧书店中廉价买到一本《管风琴名曲选》，是日本版所谓《世界音乐全集》中的一册。一直当个宝贝。今已快散架了，仍然珍藏着。）

古代曾以水力鼓风，使琴管发音。后来改用风箱。这可是重活，需要好几个甚至几十个壮汉操作。从一幅图片上可以看到苦力们正在琴背后拼命鼓风的苦状。座中那些听得入神的人们，恐怕不大会想到这种乐中有苦、文明之中有野蛮的情景吧！

中国爱乐者其实不该对管风琴太生疏的。因为，在远道而来的几种西琴中，比起利玛窦他们带进明宫的楔锤键琴或羽管键琴之类来，管风琴是一位早来的客人。元代宫廷乐中便有它的变型，叫"兴隆笙""殿廷笙"。后来还有人呼之为"大编箫"。明清之际，在澳门、北京和上海的几所天主堂中安了已经近代化了的管风琴。这些情况，这本"史话"中一字未提，岂非憾事！

更遗憾的是中国人自己也语焉不详，虽然在元史《礼乐志》与清人的诗文中留下一点它的踪迹。有几个文士见识了这位西方来客，所见所闻，记之于诗文，成了西乐东渐史中可珍的资料。

赵翼（赵元任六世祖）集中有一首五言长诗：《同北墅漱

田观西洋乐器》，所赋是他们访问在钦天监工作的葡人刘松龄等，到天主堂听琴之事。

> 初从楼下听，繁响出空隙。噌吰无射钟，嘹亮蕤宾铁。渊渊鼓悲壮，坎坎缶清激。錞于丁且宁，磬折拊复击。瑟希有余铿，琴淡忽作霹。紫玉凤喉箫，烟竹龙吟笛，……寒泉涩莝篌，薄雪飞觱篥。

这位大名家的史学著作很有看头，这首诗却不敢恭维。徒然铺排许多中乐典故，却叫人体会不出他的实感，想象不出那音乐到底是怎样的。本来西方的多声复调同中乐的单线条不大相似，理应使他有强烈感受，大可作一番审美上的中西比较，可惜他只是空空洞洞弄了一点笔墨游戏。

不过，写耳听虽虚，描摹他眼见的倒颇实：

> 方疑宫悬备，定有乐工百。岂知登楼观，一老坐擘。一音一铅管，藏机揿关膈。一管一铜丝，引线通骨骼。其下鞴风橐，呼吸似潮汐。丝从橐鞴缩，风向管孔迫。众窍乃发响……

观察相当细致，难为他的一双老眼！于是照例少不得要来发一点议论：

奇哉创物智，乃出自蛮貊。（以下若干句不值得抄，
故略。）……始知天地大，到处有开辟。人巧诚太纷，世
眼休自窄。域中多虚构，儒外有格物。……

虽嫌空洞浮泛，他还是传给我们若干信息，其他资料就更
简略了（很可能是我孤陋寡闻）。即如晚清曾纪泽这样的西洋
通，长期出使欧洲三国，仆仆风尘，来往于英法海峡两岸，见
闻甚博。他一家都好弄中西乐器。出使日记中接二连三地记着
听人弹风琴、钢琴和别的乐器的事。1886年日记中有一天记
了在某教堂"听大风琴极久"。更不简单的是此公还谱过《华
祝歌》，由英国乐工习奏，他"为之正拍"（见《出使英法俄
国日记》）。而1887年英国外交部要找中国曲谱给军乐队练习
时，中国使馆提供了"当时中国唯一的一首用西洋乐谱谱写的
歌曲"——《普天乐》。这也正是他的大作（见薛福成《出使
四国日记》）。从其日记中也还是看不到他对洋乐的真切感受。
说不清，还是有顾虑不便说呢？

中国人听到西琴之音，即使从明末算起也有三百年了。不
知为什么，几乎影响全无。在西方，键盘乐器的发明与完善，
等于为演奏者延长了手，增加了指头，也使头脑复杂化了。对
于多声部进行的音乐思维，显然起了相互促进的作用。十二平
均律的实际应用，也同键盘乐器的演进互为因果（早先的管风
琴上不按平均律调音，难以自由转调，此所以巴赫只为羽管

键琴或楔锤键琴作那部"四十八",而不曾写什么"平均律风琴曲")。

似乎更为重要的是,在音乐传播媒介发明出来之前,教堂中的风琴演奏好比是免费入场的音乐会。在那里不但有经典的风琴曲可听,演奏节目中常常还有管弦乐、室内乐名作的改编曲,音乐文化借此而传播。(却也有人因其不收钱而瞧不起的!)

是不是此类奇巧之器不合于"顺乎自然"的中国传统哲学,所以这些加了键的乐器(包括木管、铜管)都始终引不起注意,无人仿制。连鸦片之役以后洋商主动贩上门来的一批钢琴,也无人问津,拍卖了事。买主恐怕还是在华的洋人(见中国近代史资料丛刊《鸦片战争》)。

常常乱想,如果我们早就对键盘乐器感兴趣,移植过来,就像隋唐时代那样,外邦胡乐,拿来使用,甚至列入了宫廷的"九部乐""十部乐",民间也是流行无阻。琵琶、箜篌、羌笛等等反倒成了华夏之音;那么,原已萌芽于民间音乐中的多声部因素,可能便会继续发展。中国的音乐文化说不定又是一种局面。

唐人写听乐的诗那么多,有些写得那么美,然而近代文士对音乐像是越来越漠然、无动于衷。赵翼此作只是偶逢奇器,赋得一首,志异而已。康熙帝原是个对西方科学有所了解的人,还曾叫儿子们协同西方教士编出《律吕正义续篇》,详细介绍了西方乐理。可是当教士们特地为他演奏西乐时，竟自掩耳不迭，连声"罢了！"（据《音乐研究》1988 年第三期上所引伯希和文。）

是不是文人们的乐感渐渐地"失落"了？加上别的不必多说的原因，东来的乐器，有些便幽闭于深宫大内，年深日久，朽败了。管风琴声音再洪亮也传不到教堂垣墙之外的世俗人耳中。

然而交流还是有的。元宫中的"兴隆笙"，以笙命名，其实和秦宫里弄玉吹过的笙并无多少关系。18 世纪传进欧洲的中国笙，它那自由振动的簧片，倒反过来启发了西方乐工，应用于新兴的乐器——簧风琴上了。

它既是大众化的，也是有资格进音乐会的乐器。柏辽兹从不为别的键盘乐器谱曲，管风琴的声音他讨厌；却在其《配器法》中对这种小风琴颇有敬意，且破例为之作曲三首（又是无标题的，也破了这位标题乐大师的例）。德沃夏克、弗朗克等名家的曲目中也有这种作品。

庞大的管风琴始终不曾同普通中国人结缘。（1991 年北京音乐厅安装上了一架管风琴，这是爱好者应该感到兴奋的，可据说有文章介绍时却把此器传入中国的时间推后到了清末！）但是，对于变法维新以后兴起的新式教育中的音乐课来说，恐怕应该给小风琴记上一大功。怎能设想，当年的小学生不跟着风琴，而是靠琴、瑟、二胡、笛子的伴奏，学唱沈心工、李叔同的歌曲？（有的资料上说，簧风琴的普及，影响了印度人的听觉。大概因为印度传统乐律和西方的颇不相同。但这在中国是关系不大的。）

有一个带"配乐"的历史小镜头。秋瑾被"取缔留学"从日本回到沪上，在吴芝瑛家的小万柳堂中作长夜谈，拔刀起舞，唱《宝刀歌》。吴芝瑛的女儿伴奏，弹的便是小风琴（据秦寿容记吴芝瑛文）。

这本《管风琴史话》出版之前，管风琴音乐的盛世早就随宗教与音乐文化的变动而成过去。古典、浪漫派乐人再也不像巴洛克大师们那样热心为这乐器写重要作品。但是乐器史仍在续写，管风琴越来越现代化了。电力控制完全改变了这个古老乐器的机制。当代最大的管风琴，例如美国亚特兰大城的那一座，有七层手键盘，一个足键盘。琴管三万余根，排成四百五十行。

这当然是巴赫不能梦见的。可是琴上经常演奏的仍然是巴赫他们的乐章，常听常新。

幸乎不幸乎？正是这本史话出版以来，一种新的乐器发明了，终于成了钢琴等等家用乐器的劲敌。这便是电子琴。其实正确的译名应该是"电子风琴"。高档电子琴模拟管风琴音色，几乎可以乱真。有的教堂中所用的"风琴"其实是用不着鼓风的电子琴。

然而电子琴的泛滥又成了灾。不管是模拟还是合成出的那些奇奇怪怪的音色，总叫人觉得是虚伪空洞的声音。那预先配制好的自动伴奏更像机器似的单调可厌。

小提琴家斯特恩很担心美国儿童受这种乐器的不良影响。假如他看到前几年我们这边制造的劣质电子琴大泛滥，他不会更要掩耳浩叹吗！

文明的发展，文化的交流，其中的利弊得失，形成了错综复杂的现象。一本旧版的《管风琴史话》便引出了这些拉杂的想法。

怀娥铃在中华的冷热

谈音乐的书，假如读起来有教科书味道，不免乏味。《小提琴的荣光》这本书，我是多亏一位因《读书》而神交的乐友远迢迢从蜀中买了寄来才读到的。才读《前言》便像听到一曲感情要流溢而出的提琴小品，而且是像克莱斯勒那样用浓烈的揉指在演奏的。于是我本能地相信，这作者维克斯堡是位可信赖的导游了。

此公乃奥地利人，从八岁起便用一件不值三美元的四分之三尺寸的小提琴开始其琴迷生涯了。他自说四十年前便有写此书的想法，却未敢动笔。他并不自居为此道专家，只不过因为越来越迷，抑制不住要向同好者倾谈他所迷恋的乐器，这才写了出来。然而他又并不想将历来已经被炒过无数遍的杂碎再炒它一遍。

他是为"怀娥铃"（借丰子恺妙译）这管弦中的绝世名姝立一部传，而作传者真是深深迷醉于他的传主了。他赞道：

"它既是艺术和科学的结晶，也是（人类）一大奇迹！"又说："从事音乐的人中，要数搞弦乐的人与其乐器之间的关系最密切，他们是把自己的乐器当作人一般的知己来对待的。对他们来说，甚至觉得它是家庭成员之一。""当我拉起我那把斯特拉第瓦利琴时，我觉得我的琴是活生生的！"（这类话语，对小提琴无兴趣的人大概会以为故作多情，舞文弄墨而嗤之以鼻吧！）

仿佛急于介绍他所钟爱者，在《前言》中他便絮谈起了这娇小的乐器的性格："它有些像脾气变化多端的女性。当你指望它顺从地按你的要求发音时，它却闹起别扭来，声音又干又燥。"

他拥有一架阿玛多琴，"一位高龄已三百五十岁的贵妇。她怕见明亮的光线。""某提琴研究专家曾携了一架斯特拉第瓦利琴横渡英吉利海峡，发现她竟也晕船。琴越好，越容易晕船，而且两个星期都恢复不过来。"

这里说的都是那些价值连城的古代名琴。但作者虽一想到现今从流水线上涌流向市场的劣质商品琴便不寒而栗，却又并非醉翁之意不在琴的收藏者。"要真正鉴赏珍贵的古琴，你必须会拉琴。""名琴好比一瓶陈年的名酒，只有经过多年品尝美酒的人，才能真知其味。"

作者主要是从乐器和演奏两个方面来谈提琴，在《乐器篇》中尤其津津乐道的是古来的名匠与名琴。读起来颇像读我们谈古董、文物的书，但那作者的情感似有冷暖之别。

古名琴，没眼福的凡人哪能见到，但这耳福是有的。人们听过的小提琴大师演奏的录音，其实也便是名琴留下的声音。大师们之必用名琴，恰似侠客们必有宝剑。约阿希姆居然一人拥有四支斯氏琴，而崇拜者还又献他一支。伊萨伊在台上拉他的瓜纳利琴时，放在后台的一支斯氏琴不翼而飞。西盖蒂在台上演奏时手中的瓜纳利琴断了弦，夺过乐队中首席提琴手的琴拉下去，音乐顿有黯然失色之感，因其并非名琴也。然而斯特恩碰上了同一事故时，他把手中的瓜纳利同首席的斯氏琴交换，得以乐不减色地演奏下去。

读此书中如数家珍般娓娓道来的那许多古名琴的外号："弥赛亚""维纳斯""海豚"……不禁联想到我们的"神龙兰亭""赵子固落水本"等等，可幸者西方没有胡诌乱题歪诗糟蹋法书名画的乾隆皇帝。然而许多存世名琴的发现、转手、盗卖、伪造的记录，倒也仿佛我们的文物沧桑，可谓中西同慨！

假如你只对《古琴的价值和买卖》《古怪的名称和奇妙的标签》《伪造和失窃的古琴》这些篇章感兴趣，那又未免可惜了。更值得一读的是《音响之谜》这一章，其中记述了一个极有意思的历史场面：1936 年录制《克雷蒙那的荣光》那套历史名盘的细节。在德卡（Decca）唱片公司录音室里，十五支古代名琴放在长台上，其中有外号"法王查理九世"的那支阿玛蒂琴（存世最古名琴之一）；有别名"罗德"的琴，是八十九岁高龄的斯特拉迪瓦利亲手制作的；此外还有五支瓜纳利·德·盖苏琴；等等。这种诸神聚会群星灿烂的场面，足以令专家与琴迷们耳目俱眩到了疑在梦中的程度吧！

明星大会串，是为了给它们青史留声。当代大师里奇担负了演奏的责任。录音是在严格规定的同一条件下进行的。演奏者，麦克风，回音板，都不得变动，以求为每一件名琴的音响公正地留下记录。

但曲目则依照乐器的不同性格来挑选：为阿玛蒂选了维瓦尔第的曲子，在斯氏琴上拉的是经过改编的门德尔松的无言歌《五月轻风》。

为了运用现代技术揭开名琴音响的不传之秘，同时又录制了一张"比较研究片"，让里奇用每支琴拉一段同样的音乐——布鲁赫的协奏曲片段。这一段独奏正好从最低的 G 弦拉到最高的 E 弦，音响各有千秋的四根弦都出台受试了。书中描述：听这张唱片，可以区分出那柔美如天鹅绒的斯氏琴和光彩辉耀的瓜纳利。前者叫人想起拉斐尔笔下的圣母，而后者叫人感受到米开朗琪罗的激情。

音乐演奏艺术，涉及心—手—器三者之间的微妙关系。本书中对"器"的兴趣之浓真是无以复加了，但作者自有他几十年同这乐器交往的切身体验："乐器越是有力，具有的因素越是丰富，也便越发难以驾驭。""要让乐器发挥出最佳水平，演奏家必须去适应他的琴。"下面这番话更是可味："并不是小提琴使演奏者成为演奏家，倒是演奏家让小提琴成其为小提琴。""同夫妇生活一样，在演奏家与其提琴的关系中也有互利的一面。"

那么假如提琴家手中的乐器并非名琴，又将如何？回答是：音如其人。海菲兹不管拉什么琴，都会是海菲兹。如果让海菲兹、奥伊斯特拉赫和梅纽因他们轮流拉同一把琴，肯定也给听者以不同的感受。

出自一位有权威的琴迷的这些见道之言，爱听提琴音乐者，都会大感兴趣。曾经拉过提琴的，当然感受更深。在蹩脚提琴上胡乱锯过几年的我，读时还有种种感慨油然而生。

这是版权页上"1—1100"的印数引起的。印得少，我看倒可以证明它的不俗，我联想到另一本十来年前出版的奥尔的《我的小提琴演奏与教学法》的印数：前后三版共四万八千零三十五册！也联想到那时曾见我家乡小城乐器厂中，毫无训练的工人赶造不堪使用的提琴；随后便又在上海旧货店里的一角发现了一大堆已遭秋扇之捐的怀娥铃！古怪而事出有因的提琴热，有一阵竟使"流浪"成了常可听到的声音。"流浪"者，"流浪音乐"之简称。记得最早见于丰子恺的译文。其实便是《吉卜赛之歌》，萨拉萨蒂的名作，海菲兹拿手戏也。滑天下之大稽的是，"文革"后还有人斥之为郑卫之音，因为它描写了"吉卜女郎"云云。何以曲中人一定是女性（我总觉是个男

的茨冈在狂歌当哭，狂舞浇愁）？一奇！抗战胜利后才产生的
"吉卜女郎"一词，硬加在古老的茨冈人头上，二奇！

提琴热虽然其兴也骤，其逝也速，余温却转为参赛热。中
国少年在中国名师指教下，的是不凡，跑到海西大赛中拿了不
少奖牌回来。西方人为之刮"耳"，梅纽因和斯特恩也为东方
后生可畏而高兴。只可惜那些小选手们的名字，如今都像过天
星似的不见有多少人提起了。

何以中国人长期以来总是冷淡这个管弦中的"西施"？我
不解，也深以为憾。明清之际，正当西方提琴艺术兴旺之时，
名匠、名琴如云，名手如雨。来华的耶稣会士中，定然也有
《魔鬼的颤音》作者塔尔蒂尼那样的人吧？教士们的弦乐演奏
进了清宫，则有文献可稽。可就是诗文中写此西来琴音的，竟
缘悭未见。还是没人听过，写过？一向认为"丝不如竹、竹不
如肉"，又讲究歌唱的中国人的耳朵，对这最近似肉声、善奏
"如歌"（cantabile）之乐的乐器理应赏识。

怀娥铃之渐受国人爱抚，似是民初以后之事。我劝有同
好者去读读谭抒真这位小提琴元老写的回忆（见《音乐艺术》
1993 年第三期）。是齐如山风味的文字。从中，往昔的小提琴
先行者的风姿跃然可见：长袍马褂，登台一弄，台下稀稀拉拉
的知音们听到的却是西方名作。所拉的不一定是沙龙小品，而
也有颇难拉的"无伴奏"。遥想当年那台上台下的视觉形象同
那音声之间的不协和，也是别有韵味的复调吧！

　　然而从前的爱好者，耳福并不浅。今人只好从老唱片或重录的"CD"上领略其风貌的埃尔曼、克莱斯勒、津巴列斯特，都曾来过中国。某些漂泊到京、沪等城市的侨民提琴家，也恰好为刘天华、聂耳、王人艺等造就了学琴的机会。二胡名篇《空山鸟语》的谱写，是在作者听了津巴列斯特独奏会上的一曲《精灵之舞》（巴济尼作）之后不久，这也是中西弦乐因缘史中的好资料了。

　　内地普通人初接触这之前未闻的西方奇器，那一种好奇的狂喜之情，王人美《我的成名与不幸》中有绝妙的回忆文字。《贺绿汀传》中记了他身背一琴，在四十年代的解放区，为农民、战士奏一曲而广受欢迎。这都叫人为这乐器在中华本应该热，终乃虚热一阵而惋惜！

　　不过，读了另一本好书，匈人西盖蒂——"提琴家的提琴家"的回忆录，又发现，提琴艺术在西方也在缅怀它以往的黄金时代了。以曲目而言，许多经典之作遭受着因过度演奏而丧其新鲜感的折磨；演奏嘛，技巧完美无瑕，足令帕格尼尼不能专美于前，只是19世纪以来争奇竞秀的风格多样化一去不复返了！这其中据说既有教学上的问题，又有唱片"样板"作的孽，也同煽起追名逐利之风的竞赛热大有关系，这都是西盖蒂慨乎言之的。由此我倒冒出一个憧憬：总会有一天，经过对中国音乐文化矿藏（富矿！）的深掘、开发，由中国小提琴家，借这源出西土的有灵性、可与人共呼吸的乐器，演奏出饱含中国异香奇韵的弦上与弦外之音，让中外琴迷耳目一新而又耐玩不厌的提琴新声。

直到 20 世纪 30 年代，才出了丰子恺、裘梦痕编的《怀娥铃演奏法》(开明版)。又过了半个多世纪，我们才有这本中国唯一的一本提琴史话。虽然是引进的，可喜它的译述者也是这乐器的知心。他不但以弱冠之年便爱上了它，而且从他留日期间还曾进了交响乐团，参加演奏过也独奏过这"乐历"来看，那应是一位内行专业者。然他却是去攻读考古学且拿了博士学位，（这又可联想搞地质又拉提琴且作了一篇中国最早的提琴曲的李四光！）则又可谓同我辈凡人更贴近的同调了！难怪译笔如此流利，同此书作者一样，笔端挟着热烈的爱乐之情。

原著的缺憾我以为是谈了器和艺而未谈乐，虽说作者声明他不是编"小提琴百科事典"。译文中将萧伯纳译作"G. B. 希约"，弥赛亚作"美希雅"，不免煞费猜查。圣彼得堡则更不宜作"圣·贝提斯堡"了。第一百零一页上说威尔第七十八岁作"浮士德"，其实是《浮尔斯塔夫》。第三百零九页上说到舒伯特作品"神圣的漫长"。这原本是舒曼对《C 大调交响曲》的形容，德文吾不知，英译为"heavenly long"，是"长得要命"之意吧？又第一百五十二页上云 1683 年"奥地利第二次征服土耳其"。其实那年是土耳其曾兵临维也纳城下。"征服"应是"战胜"之误。

这些，就当作自己细读了这本好书、佳译之一证吧。

"和而不同"的人与乐

　　《老残游记》是从小就爱读的书，后来对作者的生平也很想了解。但我读《刘鹗小传》（以下简称《小传》）急于想知道的是他同音乐的关系。想知道这位大忙人何以那么工于描叙音乐之美与听乐之感受。《小传》中专门写了一节《刘鹗的音乐修养》，读后恍然，他把音乐写得那么真切，果然并非凭空想象，是有他对音乐的真知实感为基础的。他爱弹七弦琴，不但琴艺精，而且有悟于琴道，对乐理也有相当深的研究。他还收藏了不少古琴，其中如"九霄环珮""春潮带雨""石上流泉"，都可以说是烜赫名琴。虽然《小传》中提供的这类资料很少，不解渴，也够叫人向往的了！

　　自有章回小说以来，包括《红楼梦》在内，写到音乐而不流于简单浮泛落套的，太稀见了。"明湖居白妞说书"一篇文字，胡适序中赞了它，国文教科书中选了它，俨然成了散文中的经典了。《小传》中有《白妞考》一节，引当时人记述，考证实有这样一位民间艺人。但我过去不解，现在仍然疑惑，这样的说唱艺术为何后无来者？即使听"鼓王"刘宝全、"盖河南"乔清秀等等后起之秀的演唱，似乎也难与刘氏笔下的王小玉印证，不能不令人怀疑其写实性了！然再一想到阿炳和他的《二泉》与描写文字之间的差距，又悟到音乐之味实难言传，反而疑心白妞的绝艺更胜于刘氏描摹也未可知。阿炳留下粗糙的录音，白妞没赶上这发明，又多亏刘铁云这半实半虚的文字"录音"与"录像"了！

"白妞说书"诚然是可以追踪唐诗中写乐、舞的名篇的好文字，却也掩盖了书中另外两节妙文的光彩。窃以为那是值得——甚至更值得注意的，即第十回《斗龙双珠光照琴瑟，犀牛一角声叶箜篌》中写的琴瑟二重奏与更奇特的一场室内乐演奏。这两节，其妙又不仅在于文字，更重要的是它们描述了多声部音乐，这在中土诗文中前所未有。且抄一点大家同赏：

（黄龙子与玙姑琴瑟二重奏）那瑟之勾挑夹缝中，与琴之绰、注相应。粗听若弹琴鼓瑟各自为调，细听则如珠鸟一双，此唱彼和，问来答往……

（玙姑答申子平问）"你们所弹的皆是一人之曲，如两人同弹此曲，则彼此宫商皆合而为一，如彼宫此亦必宫，彼商此亦必商，断不敢为羽为徵，即使四人同鼓，也是这样。实是同奏，并非合奏。我们所弹的曲子，一人弹与两人弹迥乎不同；一人弹的名'自成之曲'，两人弹则为'合成之曲'，所以此宫彼商，彼角此羽，相协而不相同。圣人所谓'君子和而不同'，就是这个道理。'和'之一字，后人误会久矣。"(《老残游记》，人民文学出版社版第九十二、九十三页)

何以直到他这时代才看到对多声部音乐的描述？岂不值得思索一番吗？

中国人自古以来听惯了的是单线条的单声音乐，当然也是高度发展了的单声音乐。虽然也不是没有和声复调的萌芽。一提便会联想到秦女弄玉的笙，它可以吹出若干和音。律吕复杂，能转调的编钟，早在那可比拟为"思想复调"高潮的百家争鸣的战国时代便铸成了。七弦琴曲中有简约的和声效果。至于汉族与少数民族的民歌民乐中存在着支声复调，连西方人也在清末民初之际便加以注视而且收集了录音资料（可阅王光祈《中国音乐史》，第一百零三页）。

要说刘氏所写是据实而加以夸张，又不大可能。单是从所写的几件乐器来看就可怪。箜篌是自汉至唐屡见之于诗文中的。从汉时据说从朝鲜传过来的箜篌引《公无渡河》，到唐李贺的《李凭箜篌引》，都使人留下了这古乐器的好印象，然而谁见过，听过？这中国的"竖琴"不知为什么自宋以后忽然退出乐坛，一下就退隐了好几百年。滑稽的是，直到1926

年，"五省联军总司令"孙传芳要演投壶古礼（特邀太炎先生为大宾，后未到场）的复古怪剧，当时摊出一大堆乐器，古、今、汉、胡杂陈，而箜篌也在其中。何所据而制作？那就不清楚了！到了20世纪30年代，上海有个"大同乐会"，所制一批古乐器，多半是按《清会典》中的图样，尺寸仿造。其中的箜篌，肖友梅指出其"只粗有其形体而不能发响亮声音"。刘氏是否真的见到听到这早已销声匿迹的古乐器呢？"锦瑟无端五十弦"的锦瑟，早就成了雅乐中充充数，祭典中摆摆样子的乐器。琴瑟重奏，既不见之于古谱，也无文献足征。总之，如此新鲜美妙的多声合奏音乐，很可能像他写的"千佛山倒映在大明湖中"，只存在于他的想象中吧！

唐诗中的音乐，"石破天惊逗秋雨"的箜篌也好，"龙吟虎啸一时发"的觱篥也好，诗的效果可以证明诗人的乐感与想象力发达得惊人，表达其感受与幻觉的诗艺也惊人，但显然是超越了乐史的实际的。如其不然，则中华乐文化的前盛后衰一至于此便颇难解释了。文学的发达先行于音乐，也是中外皆然。中国古代的画论、乐论，写画写乐的诗，好像有一种超前于实践的现象吧？

比刘铁云早三百年的张岱，也是一位文、琴皆工的人。他谈琴趣的文章，见于《陶庵梦忆》《琅嬛文集》的有四篇。在《绍兴琴派》中他所自赏的四人同操"如出一手"，正是玙姑看不起的那种简单化的同奏。也可见"'和'之一字，后人误会久矣"!

对"和"与"同"的如何理解，真的是由来已久。《国语》中齐景公与晏婴的对话是公元前 522 年之事。

齐侯问："和与同异乎？"晏子答："异！"于是他用烹饪之必须五味调和才能味美来说明，"若以水济水，谁能食之！"然后说，"声亦如味"，靠的是五声、六律、七音、清浊、小大、短长、刚柔、疾徐等等的配合，以相成相济，假如没有这些相异因素形成之"和"，而是"专一"的单调的声音，那"谁能听之！"他还加上一句："同之不可也如是！"

既然晏子时代的人所理解的"和"，只可能是《乐记》所形容的"累累乎端如贯珠"的历时性的"和"，也即是曲折多变的旋律（即《文心雕龙》中的"异音相从谓之和"），不可能是异音并作的共时性的"和"，即和声复调。要知西方的复杂的多声音乐，也是中世纪以来逐渐演进才形成的。那却是中国古乐光华灿烂的时代！何以又不向"和而不同"演进呢？这问题之耐人思索不亚于另一个问题：曾经高度发展的中国科技何以后来停滞不前。

傅雷的友人，"文革"中的受难者沈知白教授有一篇遗作《和声在中国已往不能发展的原因》，从文化生活伦理思想以至中西语言的特点来探求，提出了一些他的看法。例如：男女因声域不同，不便于齐唱，这在西方是促成和声出现的因素之一。沈氏引王静安《古剧角色考》中"歌舞之事合男女为之，自汉以后殊无所闻"，推论中国的礼教森严，限制了男女群集，纵情歌舞，在戏剧演出中又以假嗓唱法调和了男女声域参差的矛盾，结果便与西方不同。他又认为，中国古代的音阶与简单的和声之历数千年而不变，是因为它们适合于表达士大夫"顺应自然以求安适"的性情，"静穆恬淡优游逸豫"的生活，和以中庸之道加清净无为的思想为中心的中华文明结下了不解之缘。足见多声部音乐在古代中国不能发展的问题，"实与封建时代的整个文化生活相表里"。

我联想到，古人把繁声也视为淫声，崇尚"中正平和"。这"和"其实是指的一致，亦即与"齐"是一回事。对于完全是一条声齐奏的"繁声"尚且贬之为"郑声"；则异音杂作更加不堪入耳了。直到中西频有交流的清初，而且是学术文化上相当开通的康熙帝，听西方教士奏乐，尚且急掩其耳，是否也同听不惯多声音乐有关呢？

明末清初由西方教士携来的音乐，显然在中华士大夫听来是逆耳的噪声。恐怕要等到清末民初，人们的耳朵才开始听得进那种"和而不同"的音响吧？同异邦人接触机会多的这位老新党，有可能是从蛮夷之声中受到了什么启发？

医生，贾人，水利专家，古董收藏家，大善士，音乐爱好者……"汉奸"。这是个有多种身份、头衔的异人，像个不协和和弦！他又是个大忙人，汲汲皇皇地，办了一件事又忙着干另一件。然又忙里偷闲隐名作一部"闲书"——《老残游记》。

而他又自称这是一部"哭泣的书":"其感情愈深者,其哭泣愈痛","棋局已残,吾人将老,欲不哭泣也得乎?"从书中对于"以理杀人"的酷吏的憎恶,为生民涂炭的忧愤,我相信,鸿都百练生的确是一位深于情的人物。想到他,也不会不连带想到同他有交情的各种人物:梁任公,沈荩,罗振玉,狄平子,太谷学派中人,还有收谭嗣同尸的大刀王五……

说他是"头脑不清楚的老新党",不如说他是个头脑行事都复杂的人。读了《小传》,重读《老残》,深感此人头脑中响着的"和而不同"的音乐,倒是同他那个时世的"多声部复杂音乐"相呼应的!

文如其乐　乐如其心

——读柏辽兹《配器法》

　　有兴趣看这篇小文的，即便是位爱乐者，多半也没有可能去啃什么配器法吧？那么又何苦来为柏辽兹这部著作当义务推销员呢？实在是因为它给我的教益太多，不容自己不向爱乐的同好们推荐。同时也因为这里面还包含着一桩乐迷幸事。原著问世是在1843年。我读到中译本，则在1983年。然而只有上半部。一读便着了迷，盼那下卷出来，一盼竟盼了十年！已不指望在有生之年得窥全豹了。同时也不免有点担心，怕下卷续出而译者换了人。因为译文的风格也增加了此书对我的吸引力。前不久忽然买得下卷，凑成全璧，而译者也是原来的那一位；披卷快读之际，兴奋得就像终于听全了一部自己所嗜爱的音乐名作似的。

　　它并不是什么"音乐普及"读物，是一部专业著作。然而本人的切身感受可以保证，只要你是一个真心喜欢倾听严肃认真之乐的人，不但可以读，而且会读得你津津然不忍释手。

原著发表六十年之际，为它编订评注的理查德·施特劳斯便已在其中好几处不客气地批道：（这种见解）"现已过时！"今天离开他说这话的 1904 年又已过百年。那么此书岂非更加古董，读之何益？不然，至少对于我辈爱乐也对音乐史感兴趣的人，读读它是有益而且有味的。这不仅因其可长见识——即便是理查德·施特劳斯指出"已过时"的那些内容，对我们来说也恰恰是一种可以增强乐史感的掌故。何况它的确有助于我们去读乐。柏氏讲的甚至施氏补订的，虽不大能解释现代派新潮作品中的配器效果，连施氏当年显得大胆新奇的配器，相形之下也像老生常谈了；不过，如今世界上的爱好者，好像绝大多数还并非喜新便厌旧、弃旧的。正相反，人们最爱听的，倒是老作品来得多。而此书中谈的，对于我们听赏从格鲁克到瓦格纳的老作品却是大有用的。

鼓动别人快来读此书，还有个道理。我觉得它是一种很能激发对乐艺的热情与敬意的书。谁要是对柏氏其人其乐有兴趣的话，读它，恐怕比读某种既不见人又不见乐的"文学传记"之类更有所得。简直像是在听这位激情如火的浪漫派乐人的音乐。

试翻一下柏氏作品目录，妙得很，同《幻想交响曲》《哈罗尔德在意大利》等名作排在一起的，有一部"作品第十号"，并非乐曲，正是这部《配器法》！这当然是作者自己编的号，但他的其他文字著作并没照此办理。在这"作品十"前的第九号，是大家听得耳熟的那篇《罗马狂欢节》序曲。"作品十一号"则是一篇声乐曲。

这样看来，当其奋笔写作这本书的时候他是不是进入了类似谱写乐曲时的那种精神状态呢？

这部书还有一种特别之处。编订者理查德·施特劳斯在柏氏原文中插进了大量他自己的见解。而这位跨世纪的德意志音诗人的文字，读起来也像他的法兰西前辈的本文一样饶有意趣，同样充溢着那种对管弦乐艺的嗜爱之情。叫人觉得，他既不愧是柏氏的后继者，也不愧为茨威格的知交。"原文"与"评注"同看，更有意思。我们就像旁听两位标题乐大师（也都一身而兼作曲家与指挥家二任）联席开讲。一位主讲，另一位插科，时而首肯，击节叹许；时而又和颜悦色地提出异议。例如，上卷中原著论单簧管的音响特性时说：

> 当我听到远处传来的军乐时，每次都不能不极其深刻地为它的女性似的音响性质所激动，和诵读古代英雄史诗的印象相似……

施氏评道："这是很优美的感受，但略显片面。"

不止一处，评注者又忍不住赞道："金玉良言！"

有一处的评语却又是："至此为止，柏氏的论述已全部过时，只有配器史的研究价值。"

真是毫无学究气论文腔的文字！读着你会忘其为学术著作吧？

引人入胜的当然首先是柏氏原著。我觉得他完全是作为一个管弦乐的知心人在倾吐自己的感受，谈得如此细腻，如此深情，叫人难信这是个半路出家、搞作曲与指挥却不弹钢琴的人。这个人却是管弦乐队这种综合的巨型"乐器"的大演奏家，是个 Virtuoso！这不光有他的作品为证，且有作为指挥家的实践为证。例如，1857 年英伦万国博览会上，被特邀指挥"贝九"，连演两场的正是他。

从下面这段文字中可以知道他是如何地陶醉于前辈的配器艺术。这是论述中提琴的特性与妙用的一节，举的例是他最为倾倒的大师格鲁克之作，歌剧《伊菲姬尼在陶里德》中片段：

　　　当奥勒斯特筋疲力尽为良心责备所折磨，昏昏入睡时，乐队郁闷而紧张地发出呜咽和痉挛似的叹息，而从头到尾响彻了中提琴不绝如缕的怨诉。在这个无与伦比的富于灵感的处理中，它之所以能使不少听众两眼圆睁泪流满面，主要由于中提琴声部，特别由于第三弦那独特的音色、切分节奏，以及由于它被低声部拦腰一截时所造成的奇特的效果。（上卷第六十七页）

我们今天未必能听到这部早于莫扎特时代的经典名作了。尽管如此，读至此难道不会受到感染，对配器艺术中的美妙之处大感兴趣？

每听《幻想交响曲》，听到《赴刑》那一章，其中对场景、气氛、主人公心理的表现，常令我有疑问：作曲家莫不是真的有过什么陪斩上法场的亲身体验？不然又怎能刻画得如此真切，令人毛骨悚然！

他当然不曾上过刑场，只不过善于体察、想象，工于表现罢了。《赴刑》有一记阴森的钹声，犹如那个赴刑死囚的一声干咳，可谓神来之笔。读《配器法》，看到他为了介绍格鲁克对此器的妙用，不惜用了整整三页的谱例，然而再读他论述小军鼓这"卑之无甚高"的打击乐器一节，更悟到，他之工于配器也是同他善于倾听天籁、人籁有关系吧？为了论证用一组小军鼓齐奏可取得不凡的效果，他道：

> 谁要是在步兵操场旁住过谁就能体会到，当"枪上肩""枪放下"号令发出之后，能听到枪上零件的吱吱声和枪托着地的沉浊音响。如是上千人同时发出，那就会有壮丽的效果，深深吸引住你。我甚至从中找到过一种不定音的、极玄妙的和声！

书中有好多这样的很不像论文、教科书的文字。没多少专业知识的人也读得懂，受到读乐之道的启示。

他热烈地表达其所爱，也热烈地表达其所憎。例如论大鼓的部分，有对"瓦釜雷鸣"的怒斥：

> 近十五年来，无论什么乐曲甚至短曲中都到处用上了它。简直是莫名其妙！有关的作曲者对这种粗俗的行为难道不内疚吗？他们用大鼓的原始节奏加强重拍，主宰其他节奏，结果搞乱了整个乐队，使旋律窒息，曲调被淹没，和声无法保持，曲式、表情甚至连调性都面目全非了。到了这地步还竟有人认为这是用最简单的方法获得了有特点的配器效果呢！更有甚者，这些对配器法无知的人还到处用钹和鼓齐奏，好像它们是孪生的一对，难舍难分……这是难以容忍的！钹失去了原有的音色，变成铁片或玻璃掉在地上的声音，庸俗不堪，只配为走江湖耍猴、玩蛇、变戏法、丑角滑稽表演伴奏。

对音乐匠人的呵斥，也是对庸俗耳朵与低劣口味的一声棒喝。吾人今日不得不逆来顺受的一种噪声之刑中，便有那种硬生生强加于经典原作的胡敲滥击的鼓钹之声。柏氏地下有闻，又将何等义愤填膺！

此书写得文情并茂原也不奇怪。和多才饱学的浪漫派诸子如舒曼、李斯特、门德尔松和瓦格纳他们相似，他也是作乐与为文双管齐下的。

他自作歌剧台本，自写歌词。那篇配在《幻想交响曲》上的说明文字所谓"标题"的，不但对于提示这首离经叛道、标交响音乐之新的乐曲内容是一种新鲜的发表方式，同听者交流的方式；而且那"标题"本身也是精心结撰之作。（想咀嚼原作的，不妨找一本人民音乐版的《幻想交响曲》总谱来，看吴祖强君的译文。）

须知，《幻想》只是个"上集"，还有"下集"《莱柳》[1]。后者是配上乐队与声乐的独角戏。上下集合而为一，才是《艺术家生涯插曲》。作者本来的要求是，当在舞台上完整地演出时，应向观众散发"标题"。这时，乐队在幕后，看不见的。单独演奏《幻想》，则作者"希望音乐本身就能引起兴趣"，只须告诉人们各乐章的曲题即可。但是人们在音乐会听《幻想》，仍然愿读他写的"标题"。这里又有个乐史小掌故。当年伦敦"水晶宫"别出心裁，说明书中用一篇不大高明的文字顶替了柏氏原文，萧伯纳不以为然，写了篇乐评，责问何以不用精彩的原作。

柏辽兹写乐评，或评介时人新作、音乐演出，或报道自己在音乐之旅中的见闻。对 1830 年后巴黎乐坛与当政的市侩，常加抨击。其实即在这部专业性的书中他也忍不住插进一些杂

1　现在通常译为《莱利奥》。

文式的议论，例如：

> 尤其在法国，政府可以为剧院创造一切条件，却对真
> 正的（音乐）艺术冷漠。对一年一度事关民族荣誉的音乐
> 节漠不关心，五十法郎也不舍得花！

在他本国，他写的文章引起的注意倒反而掩盖了他作曲家
的形象。

这当然也说明了他在本行事业上的并不得意。他在开拓管
弦音乐上的雄心梦想，当年是无从实现的。对于强化管弦乐
的立体空间效果以加强音乐的诗意与戏剧性，他不顾陈规旧
套做了许多大胆试验。《幻想交响曲》《基督的童年》《特洛伊
人》中都有这样的例子。而他对宏伟音响的追求招来非议，更
是不难想见。在这部书中也提供了一个例子。从所附十六页的
《安魂曲》总谱上可以遥想当年演出的大场面：一支管弦乐队
居中，四角上又是四支铜管乐队。乐队总指挥必须通过与四名
副指挥的协同来控制演奏的进行。

这对他来说只是有限的满足。他想要的乐队是一种今天也
不容易被接受的庞大规模：以小提琴一百二十，中提琴四十，
大提琴四十五，低音提琴三十三的弦乐为核心，配以比例适当
的管乐，另加竖琴三十，钢琴三十，还要有管风琴。更"不同
凡响"的是，他还要添上稀见的古中提琴、超大提琴，还有

十二副原型为庞贝城废墟出土的古钹，等等。如此便组建成一支总计近五百人的管弦乐队。

不要以为这人是一个好大狂，只想制造震得人耳膜疼痛的喧声。其实他倒也指望，那细分为八至十部的一百二十支小提琴在四十支中提琴支持下，于需要时用倍弱的力度唱出"天使般、如临仙境般的"效果。

奇丽的想头在这个浪漫的头脑里是很多的。他还憧憬着：以三十架竖琴与弦乐器的拨奏相结合，组合为一支共有九百三十四根弦的"大竖琴"！

请读《配器法》中这一段，他显然是太沉醉于自己的梦幻音乐之中了！

> 在这类巨型乐队中，我们能获得千万种丰富多彩的配器手法……它安静时，庄严得犹如微微入睡的大洋。它愤怒时，激烈得像是席卷一切的热带风暴……人们似乎听到了原始森林的诉说……听到了人民悲愤的呐喊、祈祷、凯歌。它的沉默会由于肃穆而引起恐惧，它的渐强会使人战栗。有如顷刻间一片大火蔓延开来，把整个太空燃炽！

文如其乐，乐如其心！可以说他是比别的浪漫派更浪漫派的吧？只可惜，在听《罗马狂欢节》《李尔王》和《本韦努托·切利尼》序曲这些气势磅礴之作时，我们只好运用自己的想象来追踪柏辽兹未能完全如愿的宏大效果了。

　　这是一部不能只让专业音乐工作者利用和享受的书。

　　上卷印数不知道，下卷是一千八百七十五册。一个令人感慨的数字。谁要是想得到十年前出版的上卷，恐怕又得像本人盼下卷那样盼下去。不过即使现在只有半部而且是下卷，还是劝你一读。我相信你不会满足于一读再读的。

诠释艺术的一种诠释

　　虽然我不过是一个音乐爱好者，现场演奏难得听到，日常只以"罐头食品"（唱片与磁带）为生，所以对音乐表演、诠释方面的亲知有限得很。然而读了康德拉申的《指挥家的境界》，大受感染，有如倾听一部以诠释艺术为主题的交响乐。书中，言人之所未言（也可能我少见寡闻），说我之所想说，就像听德沃夏克的作品，美妙的曲调联翩而出。听他"演奏"，忍不住在心中赞好。看完了，简直想为他欢呼：了不起，大师！

　　有关指挥艺术的译著近年出版了好几种。如《论指挥》《亨利·伍德论指挥》，舍尔欣和小泽征尔的自述，托斯卡尼尼、布鲁纳·沃尔特和卡拉扬的传记。一读便放不下的是这本不到两百页的书。四年之前我便发现了这本好书。最近友人又给我买到一本。难不成许多乐友没发现它？

　　康德拉申在本书的结束语中虽然说"本书读者大概是指

挥家", 其实他心中同时也想着我辈: "至于那些不从事音乐专业, 但忠于音乐, 从中获得快乐和灵感的人, 或许他们也有兴趣了解, 站在指挥台前的艺术家所面临的创作问题是多么广泛、复杂, 有时甚至教人难受。"

岂止有兴趣而已呢, 对于杰出的指挥家, 我觉得他们就像文艺复兴时代那些博学多能的巨人, 深为崇仰。人类创造出各式各样的乐器, 然后又组装成一种巨型的综合乐器——管弦乐队。它的每一个"键"就是乐队中的一位演奏家, 他(她)能够运用自己的思维, 发挥自己的创造性。能够在这个活"键盘"上弹奏最复杂的交响音乐的, 只有称职的指挥家。我们理解, 成功的乐器演奏必须"心、手、器三者互应"。从乐队中每一千人的"心—手—器"变成指挥家与这个巨大"乐器"之间的"心—手—器"关系, 真是一个极其复杂微妙的问题! 没有指挥家, 贝多芬的交响乐对于我们只是哑然无语的音符而已。这可见我们小小听众同高不可攀的指挥艺术其实是大有关系了。反过来, 指挥的辛苦创造又所为何来? 主要的还不是为了普通听众吗? 没有听众在他面前同他交流, 共同创造, 他孤掌难鸣, 只能向壁虚造。所以, 成功的演奏, 又可说是作曲、演奏与倾听者三方面的合奏了。法国指挥家明希说得对: "归根结底, 我们指挥的历史还是要由听众来写。"

这本书里面有许多地方就是以演奏者与听众的亲密关系为话题的。问题的中心又是如何诠释一部作品。指挥家正是在这题目下做大文章的人。

　　表演前人作品，到底以忠于原作，还其本来面目为是，还是允许演奏者有诠释的自由，向来有不同见解。康德拉申以为，前代之作，后人不可能演奏得像原先一样。演奏家应该做一个"当代的"演奏家。那么，如何才能"当代化"？对此，他并不是只发一通空论。例如，一部作品的演奏速度，是诠释上的一大问题，微妙难言，也难办。"音乐存在于时间之中"嘛！许多经典之作的速度如何处理，历来就大有分歧。论者甚至认为"无所谓绝对正确的速度"。瓦格纳认为，何以古典派作曲家只标三种速度记号，巴赫干脆不标；正是由于难以确定，留给演奏者去斟酌了。康德拉申从古今人社会生活中形成的速度感之差异看这问题。前代人生活于步行、坐马车的时代。今人则已习惯于喷气式飞机了。所以他是不受传统的拘束的。然而他也不赞成用开快车的办法将前人作品"当代化"。这就触到20世纪以来演奏家一种常见病的痛处了（固然还另有缘故）。读到此不由得忆起听卡拉扬指挥的《田园交响曲》第二章《溪边景色》的感觉：公费游客乘旅游车走马观花。有滑稽感！同时也想到，卡拉扬此公不是喜欢自己开飞机吗？

　　对于其他方面的时代不同、古今之异，康德拉申的许多看法也可喜、可思。他直言不讳地谈论那些名家的诠释。对于理查德·施特劳斯19世纪30年代指挥、录音的莫扎特的《g小调交响曲》，他"不能不感到气愤。这是我们绝对不能接受的博物馆式的音乐……表情变化方面毫无对比……要知道我们生活在矛盾尖锐化的时代，我们（生活中？）的力度变化是比较突出的……庸俗的宽容大度是行不通的。时代不同了，我们对音乐的要求也不同了……我们能给音乐添上的潜台词也增多了"。

不但议论精彩，而且词锋挟着感情！这也正是本书对我有吸引力的原因。尤使我有共鸣的还可引一例：他说在威尔第那时代，人们所能有的最可怖的联想，不过是大地震。而今天，原子弹爆炸不会给人以另一种大灾难的概念吗？（按，中国人如不健忘，会联想"文革"吗？）所以现在演出威尔第的《安魂曲》，当小号吹出"末日审判"一节时，便可能产生一种更骇人的意象。他断言："可见，人类的感情与知识是受积累起来的经验所支配的，因而古老的音乐不可能演奏得和过去一样。"（这又叫人想到哲人克罗齐的话："一切历史著作都是当代史！"）

他认为巴赫的作品照原本那样去演出也是不行的。"因为今天我们对巴赫的音乐规模有了不同的理解。"假如仅仅作古风的模仿，那只是博物馆式的演奏。

本来我总是渴盼能听到全盘复古再现原貌的巴赫和莫扎特等等的作品。一读他这些议论，又不能不有新的思索了。联想到一种《老子》新读法。据说有人认为，"它是随读者而异，与时代俱新""不如此即不能将古代著作救活"云。此说的偏颇且不论，但我想，听前代前人之乐的，终究是当代之我，不可能"今人化古"。然则，博物考古式的表演，赋以新意的诠释，鱼与熊掌我想得兼！

从前演出经典作品，流行过频繁地改变曲中速度的做法。而现在则更重视大范围地掌握一部作品的整体。康氏论曰："大量的消息报道，和我们生活的整个速度，使我们更多地运用'广角镜头'，而不去欣赏美丽的细节……方向是由一般到个别，而不是相反。"这又是一条令人开窍的说法！

谈标题音乐的处理时，他认为除了作者原有标题以外，指挥家不妨有他自己的标题，还提出，要否让听众也接受指挥家自己的标题？我想，这大概也是有体验的听众会大感兴趣的问题吧？这很有助于我们做一个积极主动的倾听者。我就觉得，我们听众也不妨——事实上总是会，在心里形成自己的标题。

总之，此公反复强调的是不断推陈出新的诠释。这种穷究作品的意蕴，完善自己的表演，孜孜不倦的精神，和经典作品本身的经得起不断开掘，都更加激发了我倾听的兴趣。《费加罗的婚礼》，本书作者前后指挥了七十次，每一场他都能找出新的色调。托斯卡尼尼于八十之年，第五百次指挥"英雄"，依旧像刚刚开始指挥生涯时一样，埋头细读总谱，琢磨如何忠于贝多芬。

自然这又同音乐演奏的本性有关。每一次演奏都是一次新创造。19世纪的大明星指挥家尼基什告诉另一位指挥家亨利·伍德："应该做到每一场演出是一次精彩的即兴，哪怕一年到头都指挥同一作品。"

19 世纪以来，盛行过哗众取宠的主观的诠释，竟有"某某指挥家的贝多芬（或莫扎特等等）"的现象。魏因加特纳嘲讽过这现象，而他的主张是："个性消失得越多……他的演奏也就越发伟大！"

我们是不是也已经被"卡拉扬的贝多芬"框住了？康德拉申说，有才能的指挥常常能叫听众信服他的诠释，即便那与作曲家原意并不相符。想起来真叫人不免有怀疑与虚无感，我们到底听到几分真正的贝多芬？

音乐语言、形象本有其多义性和不确定性。加上诠释者和接受诠释者的主观因素，会不会弄得那"作—演—听"的"三重奏"变得更加扑朔迷离，无从捉摸？我愿相信，归根结底，那作者与作品固有的客观内容是取消不了的。因此我还是喜欢把乐与史联系在一起倾听，这可能使我对"艺术骗子"有防疫作用。

康氏自云，"他觉得自己是某种密码文字的译者"。那么，指挥的诠释，便可看成作曲家原文的一种"译本"了。我们无力从原文中索解，也只得读"译本"。为了不受那些不够"信、达、雅"的"译文"之误，可以多读几种，从比较中去揣摩。卡拉扬的"译文"，"疑若可信"。但老是跟着他那"指挥棒"（他以手代之）转，显然不行。对我来说，托斯卡尼尼的"田园"，斯托科夫斯基的"新大陆"等等，那特殊的魅力至今难以去怀。尽管都是听的"七十八转"老唱片，音响甚劣。这不也可见指挥家诠释艺术之威力？（不过，世人崇仰如神明的托斯卡尼尼，康氏却说他对贝多芬的作品处理欠妥当。托氏一片好心录制了《列宁格勒交响曲》，敬赠给肖斯塔科维奇，他连听都不想听，贬得一文不值。此又足见诠释之多歧了！）

喜读此书，真想听听康氏的实践效果。可惜至今只听过一张他的唱片。向音乐辞书中搜寻得一篇小传，信息也不多，但一位始终致力于普及乐艺的实干家形象，同此书中直接讲话的他的语言，融合成一个热心肠的人物形象。虽然翻印的照片黑漆一团，竟完全看不清面目，但我已在心中留影，且心向往之了。

其实这本书里还有许多话题，如乐队的训练（要知道，指挥家不仅是去"弹奏"那架巨型的"活的乐器"而已，斯托科夫斯基说过："指挥家必须创造自己的乐器！"），指挥家自身的修养，等等。对于歌剧的演出与指挥，书中也有开人眼界的议论。第八章是以对三部作品的处理为例，谈演奏的构思，对我们听众也是很有益处的。

19世纪以来大兴的指挥艺术，真是一门内容丰富又高深的音乐诠释艺术，到底应该如何诠释，也是见仁见智，诸说纷纭。康德拉申的见解，不见得都可以信服，但他把自己的想法、做法解说得真是有味道。这本书正是对音乐诠释艺术的一堂精彩动人的诠释！

萧伯纳的第二战场

乍一看这部大开本近四百页的书——《萧伯纳音乐评论选集》，说不定你会一怔：幽默大师原来还有这一手！

其实音乐才是萧翁的"初恋"，而且此情终生不渝。出生于音乐之家，他是在歌声琴韵中泡大的。英国可算走运，我们也幸运，幸好他天生一副"左嗓子"，没条件唱歌剧。不然的话，也就不会有莎翁以后第一人的戏剧家了！

虽说自幼饱吸音乐空气，萧对古典音乐却是无师自通的。全然不按正规的一套，学乐理，弹钢琴；而是自行其是，对着交响曲和歌剧的改编谱，在租来的钢琴上埋头猛弹。就凭这穷办法（也是留声机发明、普及之前唯一的穷办法），他熟悉了大量的音乐文献，也便有了写乐评的本钱。从二十岁起，直到1950年去世，足足写了七十几年的乐评文字。世间是先知道有个写乐评的能手萧，然后才出现戏剧家的萧的。

不过，他一开头靠这个混饭吃的时候，却没有权利署自己的名字。他不得不充当别人的枪手。此人叫凡达勒·里，同萧这家子关系亲密，有点微妙，后来萧还不得不为此向他的传记作者海里斯"说清楚"。几年之后，虽不再当捉刀人，也还用"柯诺·巴赛托"这怪笔名，原义是一种古僻的乐器。

《作曲家大师们——评论与抨击》是这部文选的书名。美国加州大学1978年出版。分为四编，包括综论、对音乐会与歌剧演出的评述，与专评本国乐人的文字。所论上起巴赫、亨德尔，下至理查德·施特劳斯等，涉及从巴洛克到后浪漫派的音乐现象。

其中，着力鼓吹的是瓦格纳，共收文字二十一篇之多。那年代正是瓦氏成了热门话题、争议人物之时，正如侨居英伦的马克思写给大女儿燕妮信中说的："到处都用同一个问题折磨人：您对于瓦格纳的看法怎样？"拥瓦、反瓦，形成两派，对立有如政敌。而萧是瓦氏的卫士，简直可以说他"派性十足"，这只要一看他抨击勃拉姆斯的过火文章便知。

他写过一本专论瓦格纳的书，对《尼伯龙根的指环的指环》作了长篇大论的分析。论乐部分实际不到四分之一，主要倒是阐发这部乐剧如何反映了当代欧洲社会革命运动，还将其同恩格斯的《英国工人阶级状况》相比较。对剧中沃坦大神，他解释得最妙。据他看，沃坦非别，正是如今被称为"权势集团"（Establishment）的角色！

当年拥瓦格纳者必反勃拉姆斯。今天我们看到萧对所谓伟大的"三B"之一的勃拉姆斯如此不敬，自然感到吃惊。比如萧竟说勃拉姆斯并没有写交响曲的本事，写的"只不过一连串不完整的舞曲与叙事曲而已"。又指摘他徒重形式，华而不实，只肯定他在和声写作上还算有些功夫的。对他的某些"不大装腔作势"的声乐作品，萧也还首肯。

1936年，重读四十几年前旧作，萧承认那是"草率、可笑"的。萧到底不是那种文过饰非的人。

他当然有他的局限。即如标题音乐与纯音乐的问题，他曾倒向前者而贬低后者，虽说他非常推重巴赫与莫扎特。后来他自纠其偏："我对纯音乐的看法起了变化。说不定我曾经僵化，也可能是现在我才开始掌握乐评工作的基础知识。"于是他转而主张要效法勃拉姆斯，回到纯音乐的路上去。

英国文士群中，有的只是论诗评文，如德来顿、约翰逊、华兹华斯等。罗斯金与裴特则同时是美术批评家。然而在本行之外开辟音乐评论这第二战场的，恐怕唯有萧翁一人而已。

本书编者路易·克朗姆通认为：正是写乐评的实践造就了剧作家与剧评家的萧伯纳。他自己也说，启发他写喜剧的并不是本国的戏剧家，而是莫扎特。《人与超人》中既有莫扎特式的欢快，又有莫扎特式的严肃。《恺撒与克里奥佩特拉》与《千岁人》两剧中，瓦格纳主义的味道相当浓。《卖花女》《武器与人》中有像歌剧中重唱式的"异口不同声"。写时，作者可能联想到《费加罗的婚礼》等歌剧中的喜剧效果吧？至于

《人与超人》三幕中那一大段直接从《唐璜》借用的音乐，不是更可见萧的醉心于莫扎特？

《千岁人》好比瓦格纳的《指环》。《指环》要连演四夜，而萧的这本戏也要演三个晚上。1929年英国举办萧的戏剧节，同拜罗伊特的歌剧节相竞赛，就上演了此剧。

萧评过的那些剧作，除莎剧外已经绝迹于舞台了。而其所论的音乐，今天依然受着人们的欣赏。他心中笔下的那几位大师，如今还是我们公认的宗匠。正因为如此，19世纪写的这些乐评，今天也就有再读的价值。不管你同意不同意萧的看法，他的议论总是能激发你去独立思索一番。最有吸引力的便是他那种不肯与流俗之见苟同，直抒己见，锋芒毕露的论战风格，更不用说他的妙趣横生的语言，这正是萧翁本色。

维多利亚时代有股自命风雅的市侩风，萧总是要抓住题目便施鞭挞：买钢琴当作摆设，学点音乐是显得有上流社会教养，上音乐会去打瞌睡，一窝蜂瞎捧某个音乐家……

集中有些挖苦文章便是专为那阵子"门德尔松热"而发。他不怕干犯众怒大唱反调，把《意大利交响曲》这样的名作形容为"高深得有如主日学校里的布道"。又笑《苏格兰交响曲》：假如不故作高雅，原可成为杰作。

为什么火气这么大？这是因为当时人把门氏当偶像崇拜得五体投地，那热劲我们今天难以理解。且不说俗人，就拿有水平的《格罗夫音乐与音乐家词典》来说，第一版中门氏条目占了六十页，而瓦格纳才占三十页。（如今的第六版中已经"倒挂"，变成二十四页对四十一页。）

他那支笔锋扫到的人可多了。例如圣 – 桑、古诺、李斯特等。当时的乐坛名流，少有逃得了他的月旦的。

萧的乐评文字如此精彩，何以后来湮没无闻呢？要怪他自己。这类文章大多被淹没在报刊之中。1932 年他自编了一个集子，可是编得不行，既无标题又无说明，成了一堆资料。三年后推给他夫人去编的另一集，连写作时间也搞乱了。

作为景仰萧翁又是爱乐者的我，能读到他这些快人快语，真是双料的教益与享受。沉闷的、圆滑的乐评文章，我们见得还少吗！萧文虽旧，其味则新。仍然像一阵清风，可以提神，可以醒脑。我觉得很有助于自己在音乐审美中开动自己的脑筋，不让庸人"跑马"，是为介。

寻找导游人

　　新到的《音乐艺术》上有几张古老的照片，"五四"以后蔡元培、萧友梅创办的北大音乐传习所同人合影。看那些人都一身长袍马褂，想他们都是最早致力于介绍西方严肃音乐的人，顿然有一种微妙的历史感。遥想那些穿戴旧时衣冠的乐人，手持西方乐器，演奏贝多芬"大乐"（交响乐），为数不多的听众凝神静听着前所未闻的音乐，真可以说是乐外有乐了！

　　似乎也听到了鲁迅对教育官僚的怒斥："此辈豚犬，竟删美育！"

　　所以，看这些照片不但绝不感到滑稽，倒是觉得庄严，并且"忽然感激"了（借《水浒传》中写武松的精彩笔墨）！感激"好事者"在荒原上种树的精神。

　　但如果只是办音乐学校，成立管弦乐队，广大潜在的爱乐者也不一定会成为乐迷。因此我也难忘另一些做"乐普"工作的前人写的书。不是他们启蒙、导游，说不定我一辈子做个乐盲。

丰子恺的《音乐入门》等谈乐的书，如今上大图书馆书库里只怕也难找了。他便是一位好导游。他写的这类书，此刻不用细想便举得出十种来，虽然书架上一本也不见了。其中有些内容，甚至词句还没淡忘。

除了他的《世界大音乐家与名曲》，早先能看到的谈"名曲"的书只有王光祈的《西洋名曲解说》了。看了很不过瘾。他三言两语便把一首作品打发了，文字又淡而无味。可能这位"少年中国学会"的健者，身在异域，要作学术研究，要准备博士论文，挤不出多少时间编书。

但我还是忘不了他百忙中编的那一套书。其中关于翻译古琴谱的一书，打破了我琴谱难识的顾虑。关于管弦乐器、曲式等问题的几本，看了也增长知识。《东西乐制之研究》虽是学术性的，挤满了枯燥的乐律数字；却也令我肃然起敬于音乐的科学性，并非仅仅好听而已。

可怜当年的小城里的乐迷，连纸上听乐的眼界也像井底之蛙。比如，总想见识一下管弦乐总谱而不可得。丰子恺《音乐的听法》中插了一张缩得小小的谱例：《命运》末章的第一页，它是我对总谱的唯一的一点感性知识，却也更叫人向往于复杂的管弦乐。新中国成立后印了不少总谱，一种普及的袖珍总谱，便宜到一元可以买好几本。但丰子恺书中那一页总谱的影子，仍然珍藏于记忆之中。

说这些老乐迷的艰难，是想说明自己对导游人的感激，和导游书对于"乐普"能起的作用。

伊林和房龙写的科普读物，首先是以其对知识对求知者的满腔热忱感染我。我想，"乐普"读物固然要介绍知识，介绍得像伊林、房龙那样有味道，也应该有一种奇文共赏的热忱。

柏辽兹的《配器法》，并不是为业余爱好者编写的书。但是读起来很有意思，觉得他是怀着深深的感情在谈论，他自己被那些乐器的效果陶醉了。他把作曲的热情也倾注到书中了。也许正是因为这个，此书才同他写的乐曲一起，编号为"作品第二号"的吧！

柯普兰的《怎样欣赏音乐》，我一读再读。并不只是因为他讲得深入浅出。这位重要的现代作曲家不惜把功夫用在一本为凡人说法的启蒙小书上，态度又那么诚挚。他也是一位可信赖的导游人！

如何才能引人入胜，深入佳境，这对于游客和导游都不是一个容易解决的问题。

即使在古典音乐的西方老家，直接间接"助读"的书也是多极，也考虑过别的办法。在《克罗士先生》一书中，德彪西说到一种用幻灯配合欣赏的主张。指挥家斯托科夫斯基乐于配合华特·迪士尼去摄制音乐动画《幻想曲》，似乎也为了"助读"。今天的广播、电视中也专门有这种节目。效果如何呢？

萧伯纳很讨厌学究气的乐曲分析，说是犹如讲莎剧而逐字逐句抠文法修辞似的煞风景。对于并不想吃音乐这碗饭的听众，枯燥的分析也真像拆散七宝楼台。但像柯普兰或是托维（他的《交响音乐作品分析》第二册有中译本）那样的解析，洋溢着自己激赏和与人共赏的热情，读了即使一时不理解，也推动你去倾听。这同冷冰冰的解剖不一样。

借诗意的形象、词藻来描摹刻画，用在标题乐上，大体合适，过度运用这种导游法，反而可能使人难知乐中真味。有点像初学外语总要在心里翻成中国话。

后来渐渐悟到，狭隘地从"名曲解说"中求解，不行，必须打开眼界与思路。于是读音乐史，读乐人传记，读与读乐有关的种种资料。

朗的《西方文明中的音乐》把音乐同其他文化艺术现象揉在一起夹叙夹议，读了大有"到此始觉眼界宽"之感。已熟悉的许多作品像是添上了新的和声与光彩。

读乐人的自叙。书信、谈话录，听他们用我所理解的语言谈话，再听他们的作品，他们的音乐语言似乎也好懂一些了。读肖斯塔科维奇回忆录便有此感。

霍夫曼谈钢琴演奏，梅纽因谈小提琴演奏，康德拉申谈指挥乐队，看了不止是长知识而已，听音乐时你会感到，除了那个作曲者，还有诠释者在同你交流。

可惜这种种读物我们出版的还嫌太少，外文的买不到，买不起，又难借到。为了解渴，我曾借了一部《牛津音乐指南》来读。这种百科词典原来只是备查的吧，可是一读便放不下，读了其中大部分条目，读乐之兴也愈浓了。后来终于买到它第十版的影印本，重读一遍，又增新知。对那位独力编成这部超过一千页的大书的斯科尔斯，真觉得是爱乐者的良友了（书名中"指南"一词，英文原也作朋友解）！

《柯林斯音乐百科词典》，我也从"A"到"Z"浏览了一遍。有不少条目写得短而精，经得起一读再读。这两部书里并不介绍什么名曲，然而我觉得所得并不比翻阅一部"名曲介绍大全"差。

其实，可以丰富我们音乐知识的资料，来源不仅是书本。唱片封套上印的作品介绍，往往有质量很高的文章。

就连小小的盒式录音带也附上用小字缩印的文字说明。曾见一盒磁带，录的是莫扎特的两首乐曲，颇为珍奇。一首乐曲是为"玻璃琴"而作。另一首是为自动管风琴写的赋格曲。看了所附说明，人们不但知道了从前有过这两种乐器，也可以想见这位音乐奇才兴趣之广博。

今天的爱乐者耳福不浅，有广播、电视、录音机、立体声激光唱片等等可以利用，可以纵情享受听觉的盛宴。而当年为我们导游的缘缘堂主人，他为了想听俄罗斯民族乐派作品的演奏，还不得不从他留学所在的日本某地赶到另一个大城市去听！

　　但是在音乐欣赏条件更为优越的西方,《音乐欣赏》的编者约·马乞列斯却慨叹道，由于唱片、广播之泛滥，反而造成了人们不会听音乐，音乐来得太容易了！所以他认为，今天的人们忽视了倾听音乐的艺术，而倾听，本身就是一种艺术。

　　中国今天的爱乐者不会再满足于《音乐入门》那样的读物了吧，但他们总还是指望有人导游。

　　自古以来，我们的诗话那么多，读不胜读。许多普通人爱上唐诗宋词，恐怕并非那些诗话的影响，而只是"熟读唐诗三百首"。说诗要像闻一多说唐诗那样有魅力很难。说乐显然更难，似乎没人写过"乐话"。

　　柯普兰真是个讲实话的人！他诚心诚意为我们听众写了那本"导游册子"（还写了许多书，可惜没译过来），却又从序言到结束再三叮嘱道："读这样一本书并不能加深对这门艺术的理解"，"什么也代替不了倾听音乐……除非你下定决心倾听比过去多得多的音乐，否则读这本书可能是白费时间"。

　　凭自己的体验，我深信他的话有理。最重要的是去倾听音乐的本文，而首先要认定，正如他所强调的：严肃音乐不是安乐椅，而是触动你，激励你，甚至折磨你的！

唱片这种书

　　书迷谈书，津津乐道。乐迷一想到唱片，听过的、借过的、买过哪些，直至亲手毁灭掉多少，点点滴滴都在心头。

　　发明了乐谱，从手抄到印刷，大大加快了音乐文化的传播，但很多人不识谱（盛家伦那么热心地教，新凤霞也没学会），又不会拿起乐器来奏弄，仍然不能尽情享受音乐之美。唱片出世，情况大变。我说它也是一种书，一种特别的书。伊林在他的科普名著中竟未谈这种书；房龙在他的《人类的故事》和《人类的艺术》里不曾为这种于人类有功的书表功，我总觉得遗憾。一般的乐史中也不见为它立传，作赞，更是不公平的。

　　最近有消息，新一代激光唱片行将问世。这真叫唱片迷不胜感慨。CD 唱片已经那么小巧，只抵从前的十英寸唱片一半大，而新的这种，又缩了一半（直径二点五英寸），却可容七十分钟的音乐。一部《贝九》，当年的老唱片要七八张，如今这小碗口大的唱片一张可了！音响工具发展之迅速，爱迪生他们做梦也想不到的吧。

赵元任当年是利用蜡筒录音自学法语的（见他的《我的语言自传》），那是唱片的老祖宗。我没赶上听。虽然我们家乡也曾有人利用它学唱昆曲（见季自求日记，鲁迅住北京绍兴会馆时同这位南通州人有交往）。吴小如在《八十二年前的声像记录"北京唱盘"》一文中说的老百代唱片，则有幸见到，也听过。文中说，老谭仅录《卖马》《洪羊洞》二张。但我小时候还听到他的《探母坐宫》与《乌盆记》，想来是那以后录的了。

今人如听到这种老片子，音既不佳，噪声又大。肯定会掩耳摇头的。但对我来说，刻在记忆中而且被时光醇化了的，却是小叫天的苍凉的唱腔。

放这种老唱片的"话匣子"，驮着个低音大号似的喇叭，曾入陈师曾《北京风俗图》的，早已绝迹。不想近几年又出现于玩具店中，只是已缩成具体而微的小摆设。19世纪末的人原也把发明不久的留声机当玩意儿看。

从那时以来唱片一代又一代地进化了。钢针细纹片淘汰了百代老唱片。LP革了细纹片的命。CD的出现又使LP黯然无色。要论音响之真与纯（无杂声），前几代唱片在激光唱片面前只能顾影自惭了。

"美食家"对Hi-Fi（高传真）追求无厌。据台湾音响刊物报道，有一张美国贝利奥公司的LP片，柯达伊作的大提琴奏鸣曲，听起来仿佛可见弓/弦相触时马尾上松香飞扬的景象云云。可巧担任录音工作的恰又是巴托克之子彼得。巴托克与柯达伊正是匈牙利乐坛双璧。

音响之真，正如世间种种，也只能是相对的。如以现场演奏为尺度，那么许多构成现场感的因素，尤其是乐队的层次、深度、定位等因素，一到唱片里都起了变化，也便是失真了。哪怕是用四声道、多声道录音，也无从全方位再现。何况在播放时还会因设备和环境的影响，加上一层模糊、畸变。随你再"立体"，也不过是立体照片而并非全息摄影。如果你无力拥有所谓 high-end（最顶尖的音响设备），又无专门设计的"聆听室"，大可不必过分认真地求真。

再看透一层，音响之真并不等于音乐之真。上了书的不一定可信，上了唱片的也大有不真之处。有一个绝好的，也是会使迷信唱片者丧气的例子：女高音施瓦茨科普夫录的一张唱片中，有一个很高的音是补录了镶嵌上去的！当然是天衣无缝。终究不是完璧！

还有乍听难信的事。有一张海菲兹唱片，巴赫的《双小提琴协奏曲》，是他一个人分开录了再合成的。这可以戏拟为一人双演的《姊妹花》之类电影，或清末流行的"求己图"。

圣–桑那部《第三交响曲》中用了管风琴。这庞然大物既非到处都有，又不能搬动。于是有一张唱片录制时，芝加哥交响乐队在一处，奏琴者却在另一处的教堂中演奏。（以上引自《新牛津音乐指南》）

这种做法，同音乐演奏所要求的完整、契合等等应该说是不符的了。

也应该给海菲兹以公道。有一次录音，技艺绝伦万无一失的此公竟也有失误。请他重录，不肯，说是："很多人想听到我也有拉错之时。这会给他们很大的乐趣。"（据 BBC 音乐节目）

还有更可骇异的。有时可以将一段难奏的音乐先用慢速低八度奏出录下，再将这段录音加快了拼接上去。

有一个例子更奇。1977 年录制了一张《蓝调狂想曲》。协奏的是当代的一支爵士乐队，独奏钢琴者竟是死了四十年的作者，怪才格什温！独奏部分的音响是利用了他生前在自动钢琴上弹奏时录下的打孔纸带。

这些，都令人佩服现代录音技术之高明，以伪乱真的本事高明。像一张"二战"中摄下的历史镜头，一查却是排演的。"尽信书不如无书"！

即使并未做什么手脚，唱片也不过是现场演奏的价值可疑的替身。现场演奏的那种生气和演奏者与听众的交流反馈，都在绝无干扰的录音场里消失掉了。

所以就有人不喜欢到录音场去，指挥家富特文格勒就是一个。（当然也会破例，否则我从前曾得一套他指挥的《特里斯坦与伊索尔德》又从何而来？可能是现场录音？）

现代英语中，唱片被说成"做了罐头的音乐"（to be

canned），说它如罐头食品那样，无风味可言。所以有今小提琴家听了自己录的唱片以后说："再好也是罐头！"

现代波兰钢琴家齐默曼倒是很重视录音技术问题，却也说自己是不听 CD 的。录了莫扎特钢琴奏鸣曲全集之后，他根本不听，厌闻唱片之情一至于此！（据佐佐木节夫文，中译见台湾《音乐文摘》。）

反其道而行之的是 G. 古尔德这个古怪的人，巴赫"48"的演奏权威。他谢绝音乐会（因为"听众犹如古罗马斗兽场中忍心的观众"），一心在录音室里追求完美。他的唱片里（如巴赫《哥德堡变奏曲》）往往连哼唱声也录了进去，那是一种忘我之境的流露，倒是极富真实感的吧！

在唱片音乐里，奏者听者两不照面，切断了交流与反馈，这使可能造成音乐个性的泯灭。（索哈尔《音乐社会学》）

这种"书"的一种优越性同时也成了它的缺陷，即《音乐社会学》中所说的可复读性。无论重复多少次也毫不走样。对于学音乐的人，它是最耐烦的示范者。可是据说也助长了演奏风格的雷同。

可复读，对我们外行人读乐大有用，可以让你对一部作品"多次感知"。然而这也不可免地取消了演奏的多样与多变。这也正是唱片再好也不能取代现场演奏的原因之一吧。黑格尔在《美学》"艺术的演奏"一节中关照艺术家"当心不要产生他只是一架音乐的留声机的印象（这种留声机只是机械地复述一段指定的乐谱）"。——按黑格尔死后三十多年爱迪生才发明留声机，此处所说的"留声机"是个疑问。

曾听到一张可以把人醉倒的唱片。那是在斯特恩演出纪念音乐会现场录的。他、帕尔曼同朱克曼三人合作，演奏了几部名作。那魅力无疑也来自现场演奏。这种录音可谓"下真迹一等"了！

据说有人慨叹："生有涯而唱片的各种版本听不完。"这种"书"的版本多，恐怕也是为了弥补上文说的它的不足。

例如《命运交响曲》，1933 年的统计是四十多种版本。前些年看到一个数字是一百五十多种。这只是沧海之一粟吧？

那么又如何选读？昔年见过日本的几种"名盘绍介"之类，想必大有推销唱片的背景，正如我们的某些书评。几年之前在图书馆里偶见一部美国人编的《已录制的音乐》，1981 年版，两千多页的一巨册！编者说，这书是为那些面对浩繁的版本不知所措者编的。谈到《月光曲》，他说应该唾弃此一标题，它将听者的注意力从整体转移到局部的意象了。哪一版本好呢？据云是塞尔金弹的（按，此人近已去世）。《热情》，他推荐李赫特尔，《黎明》（华尔斯坦）则是霍洛维茨的好。

至于《命运》，据海外刊物评价，安塞美指挥瑞士罗曼德乐队的一种，效果之壮丽、苍劲，为其他版本所不及。然而公认为表现完美、录音优秀的，则是那张莱纳指挥芝加哥乐团的唱片。

唱片这种"书",既可独乐又可共赏。舒曼说过,交响曲只适合到大庭广众中听。唱片文化的普及证明他这话不完全对。一个人独处亭子间,照样可以听贝多芬的《第九交响曲》。那宏伟的乐章仍然沟通着听者和浩茫世界亿万斯民。自从有了唱片,音乐的审听方式发生了很大变化,其得与失究竟孰多,还一言难断。

更微妙的,唱片也正像书那样沟通着古今人的心,往往比书还真切。唱片中的"古本"文献,更是如此。曾听到 BBC 播放的卡鲁索录音。听到那当年引得万众如狂的金嗓子,体验到一种震颤,这是超出了乐感范围的历史感。正是此人在 1902 年首次灌的唱片带来了轰动,促成了唱片文化的跃进。

英国有一所音响档案馆,所藏七十五万张唱片中冷藏着这类历史之声。1889 年勃拉姆斯在维也纳录下的《匈牙利舞曲第一号》也在其中。原本是蜡筒,在柏林毁于"二战"中。这里是"翻印"的。还有 1889 年爱迪生对着自己发明的留声机,录下的一段"玛丽有只小羊",还有萧伯纳的朗诵,丁尼生的录音,等等。

正似人们对古本珍本书的重视,世界上也有"老唱片协会"那样的组织热心地发掘、抢救老唱片。据 1989 年英国泰晤士报说,现在已经试验出一种办法,不但可治唱片上的伤痕,还可以用电脑分析将乐音噪声分开,滤杂存真,复旧如新。萧翁有一张 1924 年录的演讲片,裂开三处,经抢救后完整无疵了。

既迷于乐又迷于史的我这唱片迷，常常神往于那些刻下了史声史情的唱片珍本：萨拉萨蒂去世前五年录的巴赫《E 大调前奏曲》(1969 年有新版)，约阿希姆垂老之年录的巴赫的作品，德彪西自己弹的《沉寺》……也渴想一听据说已失而复得的托尔斯泰的录音。那是 1910 年 1 月，北美留声机协会敬赠托老一架留声机，让他用四种语言录下了他《每日必读》中的几组格言。这事在托氏夫人日记中记着。

有一张珍贵的历史照片，摄下了甲午之战前北京城墙下一个老更夫 (1865 年，苏格兰人约·汤普孙摄；见 1989 年美国《时代周刊》新闻摄影一百五十年特辑)。假如同时也"摄"下老更夫的说话，那一定有更加迷人的历史和声吧！

罗曼·罗兰担心过德国的音乐太多。音乐来得太多太容易，反而可能使现代人不会听。音乐泛滥的罪魁祸首之一便是唱片。然而，我总还是觉得，人发明这种书太晚了！这种"书"把最能传达真情的人声与音乐记下。读这种"书"，也便是在倾听那与音响之流同在的，已成逝水的人与史的声音。房龙说"理解历史更要感觉历史"。历史留声比历史留影更能使人感觉历史。

时间这一维，是否也可逆，如何使之可逆，是玄之又玄的一个科学问题。有了唱片这种"书"，人类多少可以从逝水中把一掬时间挽留下了。

爱乐及谱

从前，一个迷上了音乐的人，求唱片大不易，求乐谱，更难。20世纪三四十年代，假如你想见到贝多芬的钢琴奏鸣曲，开明书店出了本《洋琴名曲选》，丰子恺编的，第一首是《婴c 短调幻想曲风朔拿大》，也就是"月光曲"了（注："婴"即"升"，"短调"等于"小调"，"朔拿大"是"奏鸣曲"的音译）。其他的"悲怆""热情"等等可就难觅。《牧童短笛》虽然是1934年得奖（俄罗斯人齐尔品悬的赏）之作，我渴求之不获，只好满足于向石人望函索来的一份口琴二重奏油印简谱了。至于管弦乐总谱更是珍奇，休想见到。

舶来的原版谱买不起。上海有家罗辨臣琴行。每经过那里我总要紧贴着大玻璃橱窗，窥视其中摆着的两厚本《贝多芬交响曲》（双钢琴改编本）。过屠门而大嚼，聊以疗饥！

上四马路一带的旧书店去淘淘看，难得也会发掘出一本旧谱来。刺鼻的霉味中仿佛有原主弄乐的余韵。一本日本版

《世界音乐全集》中的管风琴曲集，便是这样得来。

那时看到一本《中国现代艺术史》（李朴园编，今已收入上海书店印行的《民国丛书》），其中，李树化写的音乐史部分，引了黄自的《目莲救母》。多么想读全曲，哪可得！直到1949年渡江以后，才读到了这首"很浪漫的"（李树化语）合唱曲。李文中又摘了一句李叔同的《隋堤柳》。这美妙凄凉的断章造下一种刻骨的悬念，直到几十年后的今天才见分晓。钱仁康教授把迷失已久的原作钩稽了出来（英国民歌《安德森，我的爱人》）。读那全曲，核对心中多年摹想的乐"影"，虽然并不吻合，又怎能不感慨系之！

古人求书堆便借来抄。抄谱比抄书更容易出错。难怪贝多芬的一个主要抄谱手一死，他便感到很不方便。而肖邦的抄谱手去了美国之后，他也写得少了。

此事虽烦，怕的倒是无谱可抄。如今看到残存的旧时手抄谱册，常常要追怀已故的刘雪庵教授。

很早就心醉于他作品中的中国风味了，比如《春夜洛城闻笛》，唱他为唐诗谱的这首小歌，觉得乐味与诗趣非常契合。又如《飘零的落花》（尤其听郎毓秀唱）、《红豆词》（《红楼梦》中宝玉词），都是以中国味之乐传了中国味之情。至于用"晏如"别名发表的《何日君再来》，挨骂是不奇怪的。如要为那个大时代中一个离奇的"孤岛天堂"找历史配乐，除了此曲（还须有"金嗓子"的唱，白俄"手风琴大王"杜甫的伴

奏），还有更适合的"老唱片"吗？颇似爵士乐之已化为"古
典"（Classic），它也成为时世曲的"古典"，而今天听到唱这
支歌的新唱片，又觉大走样而变了味了！当年却没承望还有
当面请教作者的机会——1949年入姑苏城，冒冒失失去拜访，
一提到求谱难，他慨然领我上了寓所的小楼，让我只管去翻找
楼梯口边的一堆谱。一下子翻出了德国版的《命运》，日本版
的《田园》……还有抄本的《中国组曲》。后者是他的自度曲，
也是我早就知其名渴想一读的。他让我把这些谱抱回去看。
于是挑灯夜抄。钢琴曲可以多抄几曲，总谱只好草草做点摘
要了。

求谱艰难，但也乐在其中。"文革"变起，如何同这一大
堆"异端文化的罪证"分手，又愁坏了人！万难割舍的几本，
塞进行李，随我去"充军发配"。苏联版的《贝多芬交响乐钢
琴缩谱》、捷克版的《自新大陆》总谱等等，都在其中。似乎
有点"性命以之"（张宗子语）的味道！

听听唱片不就够了，又何苦如此？自知凡人听乐不可能甚
解，但又不甘心只听个"单声道"的旋律美。尤其是有复杂的
和声、复调、配器的近代音乐，借助乐谱，以目助耳，为的是
不负作者苦心，得更大受用。

《自新大陆》算得一部最好懂的交响曲了。但听过多遍的
人也未必就能将那些隐藏在各个声部中的支声复调都发掘出
来。不吃透那些，又何从领略交响性音乐思维的"立体声"的

力与美？读谱，以视觉济听力之穷，可以帮助你学会以"多声道"听觉去接收多声部音乐的信息。

爱乐既深，爱谱也成了癖，并且从这蝌蚪文字的"书"中猎取到另外的知识。发现：人与乐谱，同人与文字书籍，其间颇有相通之处了。

对乐曲的演奏诠释一定要忠于作曲家的原谱，近现代乐人很强调这一点。魏因加特纳是演奏贝多芬作品的权威。我是从他录制的老唱片中熟悉了"第九"的。他写的《论贝多芬交响曲的演出》，读起来也很有味道。他指斥时人对原谱速度、句法与配器的种种改动，认为是对原作的亵渎。《命运》中某个地方按原谱本该强奏；庸才改为弱奏，论及此事，他痛斥："这种篡改是情节恶劣的！"（见人民音乐出版社陈洪中译第六十五页）

从这本书中可以得知，20世纪初演出这部作品，一开始那"命运叩门"之声的几小节是奏成先慢后快的。他斥之为"荒谬"！全书中类似这样的"斤斤计较"很多，令我更加感到严肃音乐的严肃性。

乐曲都会标上速度术语，如"广板""快板"之类。但要具体执行起来又嫌笼统了。同是快板，如以古典、浪漫派的快板观念去奏巴洛克的快板，便可能失之于过快了。

于是有节拍机的发明。从贝多芬时起，谱头上有了节拍机数字。然而贝多芬自己标的这种速度又造成了后人的困惑，不是嫌快便是嫌慢。人们或疑其因为他失聪听不见，时间观念紊乱，因而搞错了；或又疑其是不是忘了给节拍机上弦。大家只好大胆修正那速度了。

至于表示力度的记号如"强""弱""稍强"等等，那就更是意义模糊。古一点的音乐中记得简单，甚至不予标记。近代作品上标得非常细。然而，有两例值得一说。我们知道，一个"*p*"是"弱"，"*pp*"表示"更弱"。威尔第的《安魂曲》中出现了"*ppppp*"这样的力度，而老柴的《悲怆》中竟有一处是六个"*p*"（就在第一章里，那支极其悲凉的第二主题由弦乐转到黑管上以后）。这都无法绝对地加以区别，只能联系其上下文来相对地处理了。

有意思的是，虽然有计量速度的节拍机，却没有人搞个"力度计"。但钢琴家吉泽金又以为，幸而无此发明，演奏者才得以享有处理的自由。

中国古谱中的"板眼"不明确，七弦琴谱有许多是不记"板眼"的。论者认为，这是要给音乐以弹性，让演奏者自行其是。

前些年纪念贝多芬逝世一百五十周年之际，《命运》总谱上的一个符号成了新闻。学者们校阅手稿，发现了通行刊本上有重要的遗漏：在那有梅菲斯特气味的《谐谑》章中，少了一处反复记号。还有两小节是门德尔松删掉了。

1978年，德累斯顿及其他地方的乐队，在演出中补上了这被遗忘了一个世纪的记号。恢复原貌后，时间增加了好几分钟，据说效果大不一样。世人以前听的，竟是一个不尽符合作者原意的版本！

许多名作不但有传抄刊布中的以讹传讹，还有"注家蜂起"带来的问题。例如贝多芬的钢琴奏鸣曲，有的版本中有些记号就是好心或不负责任的编订者们（如比洛）自作主张加上去的。

要忠于原作，还其本意，就需要校雠考据之学。"贝多芬学"有部纪念碑性的学术著作，就是诺特伯姆对贝多芬手稿集的评注分析。贝多芬经常带着谱纸，随时记下乐想。此种怀中稿册和案头稿册，为后人探究其创作保存下无与伦比的珍贵文献。

贝多芬总是在作品付印前亲自看校样的，《命运》中那个刊误竟沿误至今，这倒像古书校刊中的"落叶扫之不尽"了。下述一例也叫人想不到。老巴赫《平均律琴曲》（按，曲题中的"klavier"译为"钢琴"不大合适。钢琴当时出世未久，他只可能为两种键琴而作。但是究属哪一种琴，则又有不同说法。）中的第一篇《C大调前奏曲》，您自然听得熟了。殊不料谱中有个疑案难明：第二十二小节后的那个小节，竟不见于手稿，可能是车尔尼或他人"窜入"的！克劳特的《西方乐史》中有影印手稿为证（见1973年版第四百二十五页）。如今我们所见所闻，常常多出此一小节（彼得斯版与手稿一致）。假如要"正本清源"改从手稿,很可能弹奏者与听众反倒不习惯。况且,古诺的《圣母颂》也得改动。它是在巴赫原曲上加了一个歌唱的声部作成的,原曲成了天造地设的"卡拉OK"式的伴奏。他依据的也是那与手稿有歧义的版本。

名作版本多歧,可怪之例不仅这一条。贝多芬的小提琴协奏曲,对于提琴家们来说是神圣的。其第二乐章(何等纯真的音乐!)第二百一十七小节,竟被有名气的维尔海姆编订的版本漏了!此例见于西盖蒂回忆录。(他是老一代小提琴家,三四十年代他灌的唱片不少。)他又说当他见到1955年版的亨德尔集时才恍然:自己录过的《D大调奏鸣曲》末章中,被以前各种版本删却的竟有十八小节之多!

恐怕会使好乐之友更感兴趣的例子是关于巴赫的烜赫名作《恰空》的"异文"。西盖蒂在书中列举了此作一开头四小节的五种不同"版本",而结束处竟有十种。这些不拘泥于巴赫原谱的人包括了约阿希姆、弗来希、胡鲍伊、海菲兹等等,并非等闲之辈,自然不会是有心立异。

这好像又说明了,忠于原谱也要做到"不以辞害志",而还得"以意逆志"了!

魏因加特纳虽然对改动贝多芬原谱中记号极不以为然,却也不主张硬按那些有疑问的节拍机标数去演奏。

"书不尽言"。乐谱这工具也很难令音乐家满意。有些东西无法在谱上表达清楚。例如肖邦作品中的"自由速度"

（rubato）。只好任演奏家以意为之，很容易弄巧成拙。

先锋派乐人理所当然地觉得老谱装不下新思维。于是人们既听到了各式各样的"非常异义可怪"之乐，也见到了各种新创的如同一幅抽象派图画的乐谱。贾宝玉见了，会认为比古琴谱更"天书"吧！

据说，先有文字，后有乐谱。古时又是先借文字以记录音乐，中外皆然。后来的记谱法才摆脱文字走自己的路。中国隋代古琴谱《碣石调·幽兰》中用一百多字表示一段十几个音的曲调，全谱不啻一篇弹奏法说明。今之先锋乐谱上，新创符号的说明文字往往比那篇乐曲还要长。不想音乐还是要有求于文字！

还有人索性废谱不用。例如凯奇的怪名昭著的钢琴曲《4′33″》（四分三十三秒），事实上演奏者并不奏什么。无谱无声，大有禅机吧？

但我还是喜欢乐谱。每摊开一本谱，不论是朴素如莫扎特的《g小调交响曲》，还是繁复如瓦格纳的《名歌手》序曲，总要从心里赞叹这人类文明发展到一定程度的产物。如果没有乐谱，多声部的音乐思维又如何记录？如何排练？如何交流？如何向后人传递？一部如火如荼的近代乐史还写得出吗？

我最欣赏乐谱记录复调的这种功能了。读史觉得有味然而又困难的是如何读出史中的"和声"与"复调"（合起来姑称之为"复调")。世变剧烈,"复调"愈显。然而文字又如何记写这"复调"?《管锥编》中从《左传》里摘取一段似有多声效果的文字:叔孙穆子等十人指点议论,伯州犁穷于酬对。又指出《儒林外史》中写范进中举,众人与胡屠户七嘴八舌的情景等例,都叫人觉得文不如乐。

钱氏说《史记》《汉书》"似未辩此"。然而,《史记·春申君列传》中凭空插叙一笔"是岁也……嫪毐亦为乱于秦"。在他这部"史家之绝唱,无韵之离骚"中,司马迁又制作了好几种表格,从《三代世表》到《秦楚之际月表》,历史的节奏越来越快,同步进行的历史事件越来越多。我胡猜乱想,是否太史公倾听了史中"复调",又苦于文字的无法既写"历时"的又写"共时"的呢?

乐谱的一个重要功能是让人们可以"视读"也即"视听"音乐。美国现代音乐家辟斯顿说,他视读总谱所"听"到的,比听实际演奏还要清楚些。

据载,瓦格纳这样的制谱大师,读总谱的本事却很不相称。然则我辈凡夫更休想修炼出辟斯顿的神通了。不过一个认真听过不少音乐的人,可以触景生情,蓦然忆起一段好音乐,也不难有意识地在心里头放你最心爱的"金曲"。此时,读谱可以起"提词"的作用。这种绕过或超越了听觉所得的音乐,可能不过是一种印得淡淡的"复本",又仿佛遥远的回声,却又别有一等空灵之致。这样读,比起只依赖双耳消极被动地听，会有不同的意趣。

这也正是自己读谱能力很低却又喜欢捧着谱子啃的缘故。多少年来，《自新大陆》的唱片、录音带听了无数遍，一本捷克原版的总谱也翻得散了架。这两种"书"都可信而又可爱（王国维说，有的哲学可信而不可爱，有的可爱而不可信）。有些好乐的友人懒得读谱，我真为他们可惜！

读音乐辞书大有乐趣

从前听说过，有个闻人（曾当过老商务印书馆老板的王云五）通读了《大英百科全书》。又听说有人学英语的方法是用心读英语词典。自己并不想学他们，但是在爱乐生涯中倒也读了一部音乐词典，自觉大有益，而且有味，对这部好书及其编纂者敬佩而且感激，很想为它做做广告了。

想当年，对音乐发生了莫大兴趣之后，不久便从英国人写的一本入门书中看到这样的话：欲知其详（指的是关于钢琴的事）可阅《格罗夫音乐与音乐家词典》。看了真叫人心向往之，却又从何得见！

等到1949年渡江来到苏州，上拙政园里去看看。园中是社教学院的校舍。图书馆就在荷塘中一座轩内。满架图书中赫然插着一部梦寐中的《格罗夫》！然而战争尚未结束，又哪来时间借阅，继续南下去爬山了。

又过了二十多年，也即"文革"后，正在苦无书读之际，忽收到一位故人代为从杭州浙江图书馆借来的一巨册《牛津音乐指南》第九版。起早带夜地贪心快读（"快"有双重意思），在限期之内将那本大书浏览了一遍。为了备忘，草草作了一册札记，以便"反刍"。这一下，对西方严肃音乐的基础知识得到一次全景扫描似的涉猎。这种求知而得知的满足，在我是从未曾有过的。读乐的本钱多了，兴致也更浓了。

20 世纪 80 年代终于买到此书（国内影印本），却已是增订的第十版。再一次重点细读了许多条目。有空时常摊开来随意浏览它几条。在我心里是把它的书名译成"良友"的（书名中的"指南"，原文也有"朋友"一义）。

这部一千页出头的大书，基本上是一个人独力完成的著述。它那使人一读便不能放手的吸引力恐怕也正由此而来，自从 1938 年到 1955 年，不到二十年就出了九版，可见其风行于世了。

有魄力有魅力的这位编纂家，英国人珀西·阿尔弗莱德·斯科尔斯，他的著作可以开一串长长的目录，共计二十几种。好几种都是"指南"这样的大部头。如《音乐巨匠》和《欣赏者的乐史》都各为三册。还有像《学会从唱片上听音乐》和《借助自动钢琴与四手联弹欣赏音乐》这样的书。乐迷看了书名便会垂涎三尺。还有一部出版于 20 世纪 30 年代的《耳目并用——歌林音乐史》，是附了五大册唱片的（"歌林"是英国的唱片公司）。可算得音响读物之先声了。总之只要看看他的著作目录，就知道这肯定是位热心的"乐普"家。

《牛津音乐指南》1978 年第十版的序言中谈到原先的编写过程。（序是新版编订者沃德写的，斯科尔斯则已于 1958 年物故了。）虽说原始资料的搜集、分类、归档等事情有若干人协助，包括他夫人在内；最后动手撰写这部篇幅大大超过《圣经》的书中绝大部分条目的，是他自己一个人。"首调唱名法"那一条，他感到自己写的不能满意，请别人执笔了。还有一些歌剧情节简介也不是他写的，原因是不耐烦写这些东西。

沃德在序中说："这种独奏的成果是一部超卓之作。纵然有其局限，却被公认为有鲜明的个性，读起来兴味盎然。"

回过头去看第一版上的自序，用了六年功夫著成此书的这位独奏家谈得更为亲切可喜：

"所愿者不仅是编辑而已，而是如何于人所已知、已云之外还有新意。为了不依赖第二手资料，编者读了、弹了几千张乐谱，也为此利用了几千份音乐会节目单和唱片目录等资料。目的在于从中了解爱好者所想知道的是哪些信息。此外，以往的国内外音乐刊物（编者有幸收有大量这种资料）也加以搜索，以求获得关于人们音乐生活的详情，而那又是容易被乐史与百科辞书编纂者所放过的。"

资料收集就绪，他便集中为五十五个专题来写。每一题都涉及音乐知识的一个重要方面。例如：有关音乐科学的问题（声学、音乐生理学、音乐心理学）；有关音乐构成的问题（旋律、节奏、和声、曲式等等）；有关音乐文字的问题（记谱）。

有些题目可以让爱好者打开眼界，不把音乐当成消闲解闷之物。比如："关于音乐教育""关于音乐作为社会文化生活的情况"（民歌、音乐会、广播等）。

这些专题的稿本形成了一套五十五本的"丛书"。每一题都经过一番同该问题专门家的商榷。然后才把所有内容拆开，按字母顺序编入各条目中去。

但为了读者更充分的利用它，他又编了一个提要，将全部内容归纳成十九个方面，纲目分明地列在词典正文之前。假如你除了临时查找什么之外还有兴趣深入一下，多了解一下有关知识，一看这个便有了线索。

他心目中的使用对象是广泛的。对那些也许并不缺多卷本大词典的专业人士，他要让他们在急需查找某个问题的基本资料时一索即得；而那些音乐会、唱片的一般听众，碰到疑问来求解于它，也不会因解说之烦琐而越发摸不着头脑。

解释音乐问题，要完全避开专门术语是办不到的。但他保证，在任何一条中碰到的名词，都可以在本书中该条目下得到解释。

为读者设想，他真是用心良苦！凡较长的条目都细分成许多部分，标上小题与数字。处处可以看到"参见某条某节"这种"互见检索法"（cross reference）的应用。避免了重复，节省出宝贵的篇幅来容纳更多的内容，实际上大大增加了信息密度。

编者引《大英百科全书》和《格罗夫》作比较（当年此二书没有这种方便措施），颇为自喜。也的确值得他自喜，读者从中大得受用了么！例如关于贝多芬的一条，文字不多而要言不烦。但此条之下列出了十个方面的互见条目。有兴趣的可以跟踪搜索，获得几倍于正文的信息。

西方辞书向来重用图片。本书插图之丰富也是编者很得意的一点。虽不能同《新格罗夫》收罗的三千幅争胜，共计也有两千张左右。其中颇有些既有史料价值又有美术价值的。只可惜我辈穷措大无力拥有印刷精美的原版。而到了影印本中，有的竟成"一塌湖图"（借用 20 世纪 30 年代《论语》杂志中一幅漫画之题）。其实要是将这些精彩的图片与其说明合而观之，也就成了一部左图右史的西方乐史。

我觉得这部书之可读也耐读还因其文风可喜，平易之中其味醇醇。此公也是个有幽默感的英国人。他所采取的乐史细节往往引得人会心一笑。像"乐曲的外号"那一条便是一例。有一条还专门介绍历来各种音乐词典。说及 18 世纪德国有名的乐人玛特宋编的音乐家传记词典时，特地点上一笔：此公为自己立传用了三十一页，给了泰勒曼（也是巴洛克名家）十五页，而其友亨德尔只得了八页而已。

前文提到当年在拙政园见到《格罗夫》而徒增惆怅。那部词典的编者，乔治·格罗夫也是不凡的。原是一个土木工

　　程师，建造过西印度群岛上的灯塔，还助编了一部《圣经词典》，却又在 1867 年上维也纳去发掘舒伯特的遗作，抢救出那部《罗萨蒙德》的一套戏剧配乐，有的专家认为，其中的《b小调间奏曲》正是那《未完成交响曲》末章哩！

　　当年匆匆一面的《格罗夫》是旧版，好像是五卷本的。前些年如获至宝似的买到了《新格罗夫》，已膨胀成二十大卷了。虽也是翻版的，区区小乐迷也可算贫儿暴富了。这"富"字是有实在内容的。像巴赫、莫扎特、贝多芬等条目，实际上都相当于十几万字的一本书，比我们读了几十年的那薄薄一本《贝多芬传》的字数多了好几倍。择要选读，便是一顿饱餐，但也愈觉斯科尔斯那本书的编法与文风之可爱了。

　　一部辞书多次修订，本来是好事，却又不见得都一定后来居上。听钱仁康教授谈，他更喜爱自己藏的一部旧版《格罗夫》。我觉得《牛津音乐指南》恐怕也有这情况。出到十版之后，变成了《新牛津音乐指南》。这两卷本的"新牛津"同一卷本的"老牛津"比较，诚如新版编订者序中所云，变动颇大。保留下来的是仍以普通爱乐者为对象和互见索引法。然而叫人觉得，原来那种对资料取舍的眼光和可喜的文风，似已随"独奏家"之云亡而不可复见了！

　　此书原来有十几幅整页大的音乐家像，是精雕细刻而颇有韵致的版画。如莫扎特的一幅，画家让他斜倚着弹子台，凝神若有所思。手边摊开一小本谱纸册，想是在娱乐中又来了乐思，正待记下了。这是有记载为据的。瓦格纳的一幅画像中他则被安顿在卧榻之上，倚枕沉思，面前一大本总谱。帷帐与寝衣都着意加以刻画。叫人联想他生活中嗜爱奢华舒适的罗绮。那神气又可以印证《约翰·克里斯朵夫》中的描写，一副"大事已完，如丧考妣"、厌倦了一切的精神状态。

《新牛津》里抽掉了这些画像，据说是有些人不赞成保留。

我虽然常想再来细读一遍《老牛津》，可惜视力已衰，它的字太小了。文字短小精悍的《柯林斯音乐百科》（1976年版），其中许多条目值得一读。像是一种经济实惠也别有风味的快餐。

西方音乐文化繁荣起来之后，音乐辞书也跟着兴旺。古的不去说它，斯科尔斯的1938年自序中提到，当时英伦一地便出了一千五百种！

我们的如何？也有一点难忘的记忆。20世纪30年代只见到薄薄的两种。一本是良友公司版，梁得所编的吧？印刷和装帧是"良友风格"的，可惜太简单。另一种是谁家出，何人编，已经想不起来。忘不掉的是它质量的低劣，其中有荒唐得可气的解说，当时即被人示众。

以后，有好多年似乎除了一本从"老大哥"那边译过来的小册子以外便书无可查。"文革"后人们使用的是台湾乐人编的一本，仍不够用。近年是各式各样词典的盛世（其中好多似乎也是叫人去读而并非去查的）。外国音乐词典，只知有上海音乐出版社的一部。

予岂好读词典哉！其实也是半因寒酸，买不起、看不到进口原版资料，也走不进大图书馆的后门。然而《牛津音乐指南》的魅力也帮助我读出了兴趣。假如在老眼彻底昏花之前，得见我们自己的音乐大词典问世，还是很愿意重温这种读辞书之乐的。

对音乐词语的咬文嚼字

鲁迅先生在一封信中感叹译事之难，说有个铸铁厂工人指出，他译的一篇写铸铁工的苏联小说中有许多名词，没有一种能让工人了解那实物是什么的。鲁迅只好叹了声"呜呼"！

有些译文中，涉及音乐的地方，往往也叫人煞费猜详。由于本人对音乐有兴趣，不免多加注意。这里检一束平日记下的例子以献疑。我是想，音乐术语对于不大爱好音乐的译者，恐怕也正像鲁迅对翻砂工之隔膜吧？

昆德拉《小说的艺术》中译本（三联版）第八十八、八十九页，写到他年轻时作的一曲，"竟是由七个声部组成"。这似乎没问题，西方音乐有过几十个声部的复调乐曲。但，"在最后声部里"，"一个新的主题只在第六声部中出现一次"，这两句却费解了。苦于没有外文文本查对，姑且猜测那"声部"应是"部分"，也即乐章之意。因为"声部"指乐曲中同时在进行的成分，不可能有"最后的"。

同一书中第一百四十六页，"伟大的复调音乐家们想出对位法和横向来……"，"横向"后面无疑是漏植了"进行"二字。"横向进行"是常见音乐名词。《托尔斯泰夫人日记》（中国社会科学出版社）下册第二十八页有"韦伯的低半音符的奏鸣曲"，查此人作品中有一首《♭A 大调奏鸣曲》。如果对得上号，那么应作"降 A 大调奏鸣曲"。

同一书第三百零三页提到柴科夫斯基名作《弗朗切斯卡与里米尼》。这"与"字恐怕是对原文中一个词的误会。原文"Francescada Rimini"是意大利语（取自但丁《神曲》），应译为《里米尼的弗朗切斯卡》。该日记是从俄文译的。俄语中的"да"是"与"的意思；是否便因此致误？"达·芬奇"之"达"也即"来自"或"的"。三联版《悲剧的诞生》中译本第二百三十五页，"即使道白……"看所附外文"Tecitativo secco"，那第一个"T"是"R"的误植。而"Recitativo secco"这一词是指西方歌剧中的"乾吟诵调"。"吟诵调"又译"宣叙调"。它同"咏叹调"不同，近似说话，但又不能等同于"道白"。所谓"乾吟诵调"，吟唱时不用乐队，仅用羽管键琴等乐器来伴奏。

萧伯纳《卖花女》一剧中，躲雨的男青年一脚碰翻了卖花女的花篮。这时正好响起一阵雷声。萧形容这配合的效果，用了"orchestration"这音乐名词。在上海译文出版社版的详注本中（第二十四页），此处注"为……配交响乐"，显然不恰当。此词通译"配器"，即是管弦乐曲中对各种乐器的调配。

房龙《人类的故事》中译（三联书店版）第四百六十八页，"一个名叫圭多的……为我们作了音乐注释的现有体系"。译文不好懂！从那"注释"一词不难猜到原文是"note"。然而它又指"音""音符"。圭多即Guido，中世纪法国的一位天主教僧侣，又是音乐家。我们今天用"do、re、mi……"读谱唱歌，应该感谢他首倡了这种"唱名法"。不过他不用"do"，而用"ut"。

有的音乐名词往往联系着往昔的文化风习。福建人民出版社版《欧洲哲学史原著选编》第五百三十二页，狄德罗说，"教黄雀用的手风琴……"。这"手风琴"可能会叫人误以为是今天那种一拉一推的乐器，其实不然。18世纪欧洲人有驯养鸣禽教它学唱曲的兴趣。口传身授太烦，于是出现了"鸟风琴"（bird organ），即一种简单小巧的机械风琴，摇起来便能像个八音匣似的奏曲调，让鸟儿跟着学。莫扎特的家用流水账上，记了一笔养鸟的开支，还加上一句对鸟歌的赞语。

还有一例也有趣，是涉及中国旧事的了。白修德《探索历史》中译（三联书店版）第一百六十一页，记在延安舞会上"口琴声扬琴声汇成一曲"。再读原文（第二百四十五页），方知白氏这段原话是"在梳子上蒙一片纸……口琴与梳子奏出一支旋律"。"扬琴"，原文中找不到，不知何故；梳子蒙纸（按，最好是包香烟的锡纸），权当乐器吹奏（其实是人在哼），则是以往的游戏性的穷办法。倘照原文译述，"苦"中作乐的气氛便更浓了吧？

又记得鲁迅说他"硬译"《死魂灵》时，"字典不离手，冷汗不离身。"

多请教词典是极重要的，但如果在常用词典上也碰到疑难，就得另找专业词典求解了。

《新英汉辞典》（上海译文出版社）是自己多年来不离身的一部好词典。如今用的是用破了又买的第三本，即1985年增补本。从其中也发现了几个音乐词语是不该误释的。

"Overblow"这词，给的释义是："吹（管乐）过响以致基调失真。"

会吹竹笛的都知道什么是"超吹"。在原来的音位上加一点劲吹，便吹出一个高八度的音来，正因为有超吹的办法，管乐器上才不受那些音孔的限制，可以吹出更多的音来。一个有趣的现象是，像单簧管那种木管乐器，overblow所得，不是高八度，而是十二度。

同一词典中对"cadenza"的解释是："休止之前歌声的婉转。"撇开语法修辞问题不谈，这条释义也是叫人摸不着头脑的。其实这也不是什么太专业化的名词，通行的中译是"华彩"。指的是：歌剧中的独唱者，或器乐曲中协奏曲的独奏者，不用乐队伴奏，单独唱奏的一小段花腔式的音乐。例如贝多芬《D大调小提琴协奏曲》第一乐章快结束之前，便来了一

段 cadenza。华彩用这个乐章中的主题为材，加以变奏，它是
演奏者卖弄技巧的好机会。此时不但听众，整个乐队也都敛息
而听之。

钢琴在如今的中国不是已经像冰箱、洗衣机那么常见了
吗？然而译文中的钢琴往往也有值得推敲与了解的情况。

《舒曼论音乐和音乐家》中译本（人民音乐出版社）第
八十九页："谁没有在暮色苍茫中坐在钢琴旁（大钢琴对于这
种情境是过于隆重了）。"

帕斯捷尔纳克《人与事》中译本（三联书店版）第
一百九十、一百九十二页一再写到"弹大钢琴"。

"钢琴"和"大钢琴"之间到底有何区别？

这使我忆起葛传椝教授，他是自学成家的英语学者。当
年他写信给《简明牛津词典》著者，指出后者的《纯正英语》
中有误，对方欣然接受。葛氏是我们自习外文者不见面的良
师，可惜已归道山了！在他参加注释的《卖花女》中，也有
"grand piano"一词。注者并未轻轻放过，注曰：并非"大的
钢琴"。

此中情况，不好乐者不一定清楚。原来一般所说的"钢
琴"（pianoforte，简称 Piano），多半指那种今已进入中国中
产之家的 upright piano，即"立式钢琴"；而上文中的"大钢
琴"，中国人通称"平台琴"，更通俗的名称是"三角琴"。这
种琴的结构和音响同立式的不大一样，不仅是体积庞大而已。

钢琴家在音乐会中表演，要用这种琴。明乎此，舒曼的对照之意便可了然。前一句中之"钢琴"，是指立式琴，《人与事》中一再提"大钢琴"，当然是因为平时不大有这机会弹它。

托维《交响音乐分析》中译本（人民音乐出版社）第二十六页脚注中有一个误会，把舒曼的《足键练习曲》译成了《踏板练习曲》。

钢琴下面有"pedal"，即"踏板"，它是有人称之为"钢琴之魂"的。但管风琴下面也有一排"pedal"，那却是用双足来演奏最低音的键盘。巴赫的脚下功夫是人们叹赏之至的绝技。为了让学弹管风琴者预先练习此种技术，19世纪有一种安上足键盘的钢琴。李斯特也曾拥有这种乐器。舒曼则为此写了练习曲。

欧·亨利的小说《名媛的牺牲》[1]，中译文中有这样一处："那是一个岑寂的地方——凄怆得像是钢琴键盘左端的升A调"。

"调"显然应改为"音"。但为了领会这个比喻的巧妙，看一看键盘你就会恍然一笑了。钢琴键盘上，黑键都是二三成组的，独有最左边的低音，因为地位不够，只能安一个孤零零的黑键。这个音是升A，通常叫它降B。

几年前，怀着欣喜之情翻阅刚到手的《贝多芬钢琴奏鸣

1　即《爱的牺牲》。

曲集》。这是国内唯一的一套自己编印、而非影印外版的贝多
芬奏鸣曲集。翻到第三册一百零六页，说实话，真正大吃一
惊！那首烜赫名作，外号"106"的奏鸣曲，曲题下印了"为
击弦古钢琴而作"的中译！

击弦古钢琴（clavichord）到了海顿、莫扎特时代，已经
呈现出衰微的势头。后起之雄的现代钢琴，终于成了贝多芬时
代乐人的喉舌。这种新故乐器的"物竞天择"是乐史上昭然的
事实。从不故步自封的贝多芬，晚年怎么复古怀旧，又起用这
已经靠了边的武器？

原题中有德文"Hammerklavier"一词，有人译之为"槌
键乐器"，也有人索性音译之为"汉姆尔克拉维尔"。贝多芬这
首乐曲是为它作的。然则这到底是什么乐器？

它正是德语中的"钢琴"。

现代钢琴，鼻祖在意大利，再传到欧洲各国，名称便因
语言而异。有趣的是，意文的"pianoforte"，直译其义即是
"轻重琴"。英语移植了这个外来语。俄语却成为"重轻琴"
（фортепиано），（西方早先有过 fortepiano，和一般的钢琴大
同而又小异。如今仍有人喜欢，也就仍有厂家生产。）但又用
"рояль"专指"平台琴"，用"пианино"指立式琴。（前面提
到的舒曼的书，中译本所据是俄文，那么原文的"钢琴"与
"大钢琴"本是截然不同的两个词了。）

德人呼平台琴为"Flügel"，原义为"翼"，平台琴其形似

翼。至于 Hammerclavir，则是各种钢琴的通称。故此，贝多芬的"106"是"为钢琴而作"，并无费解之处。

费解的是，他何以独独在这一曲上不用他本来惯用的"Piano"，而改用这个害得我们伤脑筋的"茄门"语呢?

库珀（Cooper）的《暮年贝多芬》一书中谈到了有关情况。彼时，有些人热心于德语的"纯洁"，想要清除外来的"污染"。而在音乐文化中，最触目的当然是那些意大利语了。贝多芬有个弟子又兼为他跑腿办事的，叫辛德勒，也是"纯洁"派中人。不知怎么，贝多芬也被打动了，打算从此要用德语中的"钢琴"一词取代意大利语。本来，从"106"开始的几首奏鸣曲都将写上这词儿，后来并未如此，只剩下这一部要弹近一小时，同《第九交响曲》差不多长的庞然大物（勃伦德尔：四十六分十秒，菲列普；肯普夫：四十九分五十九秒，DG）留下了这个德语名词的外号。

库珀感到，应该庆幸的是贝多芬没有扩大化，不然的话，他那些杰作中的通行的意大利文音乐术语，都给"纯洁"掉，那给非德国人读他的谱带来的麻烦可就大了!

贝多芬这套钢琴经典之作出中国版，是值得爱乐者深深感谢的，但希望去掉这个不正确的译词。因为，如要那只能轻言细语的锲锤键琴来传达"106"这样宏大深沉的"独响乐"，是不可想象的。对于当时已改进得相当完善的平台钢琴，贝多芬不是也一再呼之为"可怜的乐器"吗!

【附记】

（一）

鲁迅先生在给许广平的信中告诉她，自己穿的是一件"洋蓝布袍子"。曹聚仁回忆他初当大学教授的时候身上是一件"阴丹士林布衫"，有的教师差他去冲开水，把他当成校役了。

洋蓝布长衫套在鲁迅、曹聚仁这样的人士身上，给人什么观感，如今的中青年读了恐怕是引不起什么直感的吧？

文学作品中有些作者精心选取的词语，后人闲闲看过，或不解其意，甚至误解，也是辜负了作者的一片苦心。

左拉这位小说家是可敬的，他敢于为德拉孚斯冤案鸣不平。他的小说对我没有多大吸引力，但在读《娜娜》时有两处细节使我觉得好像领会了作者的用心。一是他写这个娼妇迁入的新巢，俗气不堪的布置中居然还添了一架立式钢琴。这初看上去似乎无甚可注意之处，但钢琴这东西在19世纪既是件家用乐器，也是某些人家的一种摆设。这便是我感兴趣的钢琴文化史中的一个细节了。而且，这一点还叫人联想到：以前中国的青楼北里中恐怕还没有这摆设吧？至于娜娜，她虽在台上出卖色相，下了台又卖笑，可是并不需要弹琴，上她寓中去寻欢作乐者，也都不是什么要弹琴或听琴的雅士。我想，设计这个道具，左拉这位自然主义者显然有其观察得来的实感为据，不是随便涂抹的笔墨。

同一本书中还涉及一种今已"鲜为人知"的奇特乐器，那就更有可能被看官们轻轻放过或者误解了。书中写了一个西门庆似的角色，吊膀子是其专长。左拉形容这个猎色儿向女人讲话用了"harmonica"一般的声音。

那是什么乐器？看上去不就是口琴吗？曾见到有一份进口LP唱片的目录上，中文便译成了"口琴"。普普通通的口琴，音色并无出奇之处。用那种声音勾引不了女人。

此器同口琴完全是两码事。可译之为"玻璃琴"，也不妨叫它"杯琴"。管弦乐队中找不到它，如今的乐器行里也没这货色。但在格卢克时代它可是件新鲜的稀奇玩意。1746年英国报纸上特地报道了这位歌剧改革的大师演奏他为此器而作的协奏曲的新闻。

富兰克林既是个政治活动家，又对科学感兴趣。他干过放风筝向云中取电的大胆实验，人所共知；对玻璃琴这新鲜事物，他也下了不少功夫去改进它。有一帧油画上，这位"多能鄙事"的北美驻法兰西大使正在手足并用地操作一架玻璃琴。

这乐器是一套玻璃杯状的东西。中国古来也有过以大小杯盏排列起来，击之以箸，演奏乐曲的杯乐。但西方此琴又不同，它是用沾了水的湿润的手指去摩擦那也是沾着水的杯壁，以激发其振动发声的。

然则它那音响到底有何奇特之处？要是笔者没耳福听到录音，那么读了左拉的形容也会莫名其妙。它那声音的确异样，近似于弦乐器上用弓子拉奏的音，介于空弦音与泛音之间，又像古提琴（viol）之声，也有点像往昔有人玩过的锯琴。初听十分缥缈空灵，其奇美不可言。料想这也便是它风靡一个世纪之久的缘故了。但说实话，却又经不起多听。这料想又是它终被冷淡的缘故吧？

我听到的录音，用此琴演奏的还是莫扎特的大作，他也同此器有因缘。他不仅特地为玻璃琴演奏能手，名叫玛·克其格士纳的盲女写了一篇五重奏；还曾于维也纳一次游园音乐会中亲手一奏，当时年方十七。老莫扎特很想为爱子买一架这乐器，未能如愿，也可知它身价不低了。

莫扎特对它有兴趣是显然的。除了上面说的五重奏《柔板与回旋曲》（作品 K.617），还写了一曲，是 K.354 那篇《柔板》。

试奏过这乐器的还有老海顿。他同贝多芬的作品目录中都有玻璃琴曲。

当年这乐器的流行，还有别的文学作品为证。我们年轻时读不厌的《维克斐牧师传》，英国文人哥尔斯密斯的名著。书中，人们在一起闲聊，就从莎士比亚扯到玻璃琴。其时在1766 年，《少年维特之烦恼》的作者也是它的赏识者。这种爱好的降温是从 19 世纪 30 年代开始的。《娜娜》发表之年已是1880 年了。足见直到那时候人们对它还并不隔膜。不然的话，左拉不见得会那样写了。

本世纪仍然有人垂青于它，而且还出现了新的演奏名家，例如德人布·霍夫曼。人们可以听到他录的唱片。

玻璃琴终于被大多数人遗忘，并不怎么令人遗憾，遗憾的也许只是人们读《维克斐牧师传》和《娜娜》等作品时损失了一点有趣的感受。

（二）

文中一开头提到一位读者向鲁迅献疑的事，这位可敬的读者是徐式庄。1934 年 3 月 24 日他写了那封给鲁迅的信。鲁迅日记中记了一笔。原信收在《鲁迅、许广平所藏书信选》中，读了这封直率而又诚挚的信，不能不感动而又感慨。

忍不住借此机会略抄一些，献之于未见此信的爱读鲁迅者。

"我是你的作品的一个热心的读者，虽然我并没有合适的环境尽读你所发表的一切文字，最近我读过《一天的工作》，我觉得有些名词，你译得不大内行。这自然无损于你文章的整个的价值的；但是如果可以译得更当行出色一点，不是更好吗……'枯煤'，想来必是焦炭，土话叫焦子，这在我国是极普通的名词，何以你竟弃而不用，却新创一个'枯煤'的名（词）来？……《铁的静寂》那篇中，说到的各种机器厂习用的工具，我没有一件确切知道说的是什么东西。"

鲁迅同别人谈起这事时说，他在翻译中所据的是早年在南京矿路学堂学习中所得的一点知识。

中国文人与音乐的相亲与疏离

几年前读了朱谦之的《中国音乐文学史》。书中所谈的文、乐因缘，引起了自己对中国文人与音乐的因缘这问题的兴趣。随后又看到《读书》上有一篇文章，所论为"中国文人之非学者化"。忽然想到了一个也许并不能成立的问题：自从近代以来，中国文人是不是"非乐化"了？

自古以来，中国的文学同音乐的关系如胶似漆，几乎到了分拆不开的程度。这当然同文人好乐、知乐的情形是联系在一起的。

这个传统发展到唐、宋是最光华灿烂了。试看一部《全唐诗》中有多少咏乐的诗篇。有些名篇的"绘声"效果简直神妙到了可以令人误信唐乐的作曲与演奏水平真有那么高了！

这是可以思索的一个问题。但是，诗人们"听功"（范晔语）的高明，"通感"的惊人地发达，那却是"有诗为证"无可置疑的。

其实，唐诗不但是以绘声传达音乐之美而已，它那诗的语言中本身所蕴含着的一种"音乐"，也蕴藏着它的魅力之奥秘。这种同汉语声韵特点相联系，也同诗词格律相联系的诗中有"乐"的微妙现象，要比诗与乐外在的结合更可玩味！

宋词同音乐的进一步密切，同样是不仅在于外在的结合，而且那语言的内在之"乐"也强化、深化了。如果没有后者，那么，既然词调已经亡失，人们又怎能从读词中感受其美呢？

这当然又证明了两宋词人对于音乐的感受、理解、运用又"上了一个新台阶"。

唐音是那么嘹亮，而宋诗却"字字哑起来了"（朱谦之引朱熹的话，又加发挥）；也许这却可以读出别一种"音乐"，一种有意为之的带酸涩感的不协和。

盛极转衰。诗与乐、文人与乐结缘，相互滋养，自从中世纪以来似乎呈现为一条颓然下降的轨迹。

转眼便到了明、清。词调的音乐已是名存而音亡。虽说有新兴起来的"曲"，而且一度繁荣普及到连贩夫走卒、引车卖浆之徒都能哼他几声，然而，"乾、嘉而后，考据之学日进，作传奇者日鲜……道、咸以降，文人绝口不谈此事"（魏馘书《集成曲谱》序中的话）。

到了光、宣年间，连文人知道昆曲唱法的也不多了。

那以后，特别是新文化运动起来，情况又如何？

朱谦之在此书一开头便发感慨道："现在（按，此书出版之年是 1935）讲中国文学史的，不管是新派旧派，对于音乐文学都没有多大理会……以为文学只是文章，是为文不为声的。"

岂但没有多大理会，像胡适，竟然力主"废曲用白"，认为"中国戏剧一千年来力求脱离乐曲一方面的种种束缚"，以为这才合于"文学进化观"云云（见《文学进化观与戏剧改良》）！还说："今后之戏剧或将全废唱本而归于说白亦未可知。"

他一心要提倡新兴的话剧，然而他对于音乐，对于音乐与诗、剧之结合，竟是那样的不感兴趣！（《胡适谈话录》中无一语谈及音乐！）

在致胡适论《尝试集》中新诗的一封信中，梁任公倒是坦白地承认："吾侪不知乐。"

这又未免太谦虚了。《饮冰室诗话》（旧版）中有一篇《从军乐》，用民间小调《梳妆台》的谱填上了新词。它是戊戌政变之后为满清留东学生演的一部六幕通俗剧作的插曲。以时世新内容与下里巴人之讴相结合，可见他岂但并非"不知乐"，也重视乐之功用，而且颇有新眼光、新听觉了！

和梁氏同处一大时代而又同音乐有着不寻常的情缘的文人是李叔同。

阅尽繁华之后能自甘清苦，像个张宗子；曾经沉酣声色，终乃归心彼岸，则又令人联想到李斯特了。

如今的中、青年即便也爱唱一曲"长亭外，古道边"，可不一定真能尝出其中那种有迟暮之感的、惆怅的中国味了！人们更不大会留意到，此歌之曲调原来是大洋彼岸的西洋调，又经过扶桑乐人改造的。弘一上人妙选了这篇西来之曲，填以自撰的新词，乃使词曲契合，完全地华化了！

李叔同真正的自度曲虽然并不多——太少了！然而他的中西诗乐"嫁接法"却真有不可思议的效果。

例如，李太白的《春思》，他拿来镶配在一首德国家传户晓的民谣曲上（此调可从勃拉姆斯《学院节庆序曲》中听到）。我辈中国人唱了非但不觉其洋，且觉得诗乐相契，而又古意盎然。本人自从在《中文名歌五十曲》（丰子恺编辑）上读到这首歌曲以来，不觉已半个多世纪过去了，此种印象至今没淡。

为新诗"扬鞭"前驱的刘半农，不止爱乐，且深明乐理。他从海外拿了顶博士帽归来，带回一架小提琴给他乃弟刘天华，还译了一册《海外名歌选》。他去测定过清宫古乐器的音高。在《四声实验录》中讲了同汉语声调相关的乐理。听过他讲这门课的王力，记得他"由于对音乐的爱好，讲得那样津津有味，以致喧宾夺主"。他同疑古玄同讨论了怎样革新填词的问题。他考虑到利用皮簧调这只"旧瓶"来装新诗之"酒"，主张不妨来写"调寄西皮某板"的新诗。钱玄同则设想洋腔也不妨拿来便用，例如"调寄舒曼钢琴协奏曲"（按，这想来是指曲中的主题旋律？西方也有用器乐曲名作的主题配词成歌的）。他们这想法，一部分李叔同已经试过了。

徐志摩作新诗讲究格律而声韵铿锵，这同他的爱好音乐显然大有关系。新文化文人谈乐的文字寥寥可数（除开丰子恺等为"普乐"而写的），他却有好几篇。他不但自己爱听"贝德花芬"，作《听槐格纳》的诗，还在授课的讲坛上劝学生们去音乐会，并且教给他们"要综合地听"。

叶绍钧1938年给友人的信中透露："歌曲一道，弟有野心，而迄未动笔。诚以时下流行者固看不上眼，而谋有以胜之。"

假如他的"野心"只是指写作歌词的话，那么，《空山灵雨》《春桃》的作者更进了一步。他为《稻草人》作了曲。

也曾动手作曲的文人还有林语堂。他还能弹洋琴。创造社的陶晶孙不仅对弹琴有深嗜，并且写乐评文字。

朱自清对新诗对音乐都"爱得深深的"。他早期的美文中便有这种句子："光与影有着和谐的旋律，如梵哑铃上奏着的名曲，缕缕清香仿佛远处高楼上渺茫的歌声。"从他欧游中买唱片、赴音乐会，记游文中常写到对所闻的感受，都见出他的乐兴之浓。

这种兴致与体验又反映于他对古诗与新诗的赏析中。在《中国歌谣》中论及诗与乐的关系。在《精读指导举隅》中，提到"在自修的时候尤其应当吟诵"。

从朱自清仔细倾听赵元任演唱为新诗谱制的艺术歌曲这件事上，又可想见其对于诗乐结合以推进新诗运动的那种热忱。

像赵元任这样一位中西文化会通的学者，一位在清华研究院同梁启超、王静安、陈寅恪平起平坐的大师，在"五四"风流人物中称得起是唯一的一位真正通晓音乐之道的人。而他的兴致勃勃为新诗同新乐结缘，也创造中华风味的音乐所做的试验，真令我辈爱乐也爱诗者神往而又崇仰不尽！

一部《新诗歌集》中，不但有记录在乐谱上的当年的新声、而今的"classic"，还留下了他对诗乐结合与音乐民族化、现代化的见解和经验谈的万言书。

徐志摩的《海韵》，刘半农的《教我如何不想他》，刘大白的《卖布谣》等等早期新诗作品，多亏了他的"音译"，才免于哑然地停留在纸面上，而是"乘着歌之翼"传到了广泛得多的读者口上、心中。

朱自清当年仔细记下了自己倾听赵氏演唱前两首作品的感受："这两首诗，因了赵先生的一唱，在我们心里增加了某种价值，是无疑的。散会后有人和我说，'赵先生这回唱，增进新诗的价值不少'。这是不错的。"

深可叹惜的是，自那以后，并没有如朱自清所期望的："得多有赵先生这样的人，多有这样的乐谱与唱奏。这种新乐曲即使暂时不能像皮簧一般普及于民众，但普及于新生社会和知识阶级是并不难的。那时新诗便有了音乐的基础，它的价值也便渐渐确定，成为文学正体了。"

古文人好乐的佳话有大量的记述可稽，虽然比较散碎而又语焉不详。现代的这种记载，连简略的资料也看不到多少。这恐怕也正反映出文人们同音乐的确是疏远了。

同以上这一些文人音乐化适成对照的，也有几例引人思索。

茅盾和老舍都承认自己听不懂音乐。

《女神》作者除了写过对古乐与古代乐人的考证文字以外，文集中看不到什么可以说明他对音乐感兴趣的文字。

鲁迅写了、译了那么多介绍美术的文字，那么热忱地为了开扩美术青年的眼界、提倡新美术而操心，但是全集中涉及音乐的文字不过几篇。其中一篇还是浇向徐志摩头上的一盆冷水，讨厌他把音乐说得太玄了。

日记中虽有1923年5月14日往听田边尚雄在北大讲演《中国古乐之价值》的记载，但所记的听音乐会的事只有两次。

一回在1931年6月13日，是去看联华歌舞团的歌舞。对于这个由黎锦晖主持的团体的表演，他也像看电影《诗人挖目记》那回一样，不终场而退了。这又像当年在北京被咚咚喤喤赶出了旧剧的戏园子的重演。

1933年5月20日他去大光明影院听的那场音乐会，却有值得我们记住的历史价值。试演的是阿甫夏洛穆夫的三部作品。他是一位俄侨乐人，非常热心于中西结合的音乐创作。所演的第一曲《北平印象》，又名《北平胡同》。这篇管弦乐速写是以高奏皮簧过门的曲调开头的。其中，还可听到旧都的"货声"。第二曲是独唱《晴雯逝世歌》。（可能是据《红楼梦》中《芙蓉诔》谱曲的吧？）第三个节目《琴心波光》，日记中说是"西乐中剧"，其实从别的资料中知道，这是一出舞剧。

鲁迅记下的观感是："后二种皆不见佳。"

要做的事太多，而且还"得赶快做"。然而听音乐是一种时光代价很高的事。这也许是鲁迅无心赏乐的缘故之一？

试看："握拨一弹，心弦立应，其声彻于灵府，令有情皆举其首。"这何尝像一个对乐无感也无知的人写的？

《秋夜》中也有乐。正似一位善读者拎出的那样：读此文，前半篇中阒然无声。读到"哇的一声……"忽地便众响杂然而鸣。实际上那前半篇中也不是无乐，那正像古今好音乐中用得妙的休止符。

周作人对音乐不止是冷淡而已。尽管他早在 1910 年写的《文明之基础》中便从古乐之不传，今乐又不可听，表示了对中国人的"听觉已钝"有感慨，在另一篇《悲歌当泣》中也明明说音乐乃是艺术中最高的一种，感动力最强，力量超过文字。又在《一岁货声》中惋惜读书人的已经不会歌唱。然而他连刘天华革新了的二胡音乐也听了无动于衷。

足可证明他的听觉与乐感绝不"钝"的是，唐宋八大家、桐城派、八股文中包含的某种"音乐性"，他是特别敏感的，而这也加深了他对它们的憎恶。

中国文人自古以来同音乐相亲，何以到近代便疏离了呢？恐怕这同中国音乐文化的盛衰也牵连在一起，而且相互为用——负作用。

原先曾经发达到如此光华灿烂的中华音乐文化，后来便衰败下来。西风东渐，新乐东来。同中世纪以后有了可惊的发展的这种新声相比，今不如昔的中乐更显得"不可听"了。于是文人或为之惊喜而被吸引过去，或因其难解而敬而远之，但也对相形见绌的中乐更加冷漠。白话文不能像桐城派文章那么摇头摆脑地哼。新诗无法像旧体诗词那样曼声地吟诵。好的新诗无人作谱，其实也不好谱（比如卞之琳的《断章》），谱了也少有传唱的机会。至于大众爱唱的新歌呢，那歌词又难以当成诗篇来单独欣赏，成为新乐府。旧体诗的还潮，固然还别有缘故，但那诗中之"乐"是有作用的吧？

那么，而今之事又如何？

无论是阳春白雪的雅乐，还是下里巴人的俗乐，现在都拥有了熙熙攘攘的文人"发烧友"，那盛况是空前的！那么，文人们将像唐宋文人那样，或西方近代文人那样，真心、严肃地爱乐，从中得滋养，反过来也给音乐以滋养吗？我们的新诗、新乐将因之而开奇葩结异果吗？对诗与乐都感兴趣的人，将拭目洗耳以待之！

听　钟

　　论其古老，钟不如鼓，但只要看两千多年前的中国，钟已经同鼓成了庙堂乐队中的两大骨干，也便可知其历史之悠久了。

　　然而钟并不只是一种乐器。战国编钟的重见天日是石破天惊的文化新闻。这是有声可闻的新闻，有声的古史。我们三生有幸，听到了历代乐家梦里也听不到的历史之声！那是沉埋于地下幽宫，冻结了两千多年的音声，真像是从遥远的往昔悠然传来的，而况是如此宏大的！

　　陈列、演奏它的所在是治人者的殿堂，"钟鸣鼎食"，编钟的音乐是青铜时代现成的配乐。钟乃国家之"重器"，铸钟是大事。周景王要铸无射钟，单穆公谏阻；要使其音高合乎标准，得有专门知识，不懂音律的周景王只得请教伶州鸠。钟铸成了还要宰牛取血来衅它。（后来，战国时代的齐宣王见牛发抖，忽然动了恻隐之心，孟轲乘机进言，发了一通议论。)

　　不过后来钟又成了寺院中的"法器"。小时候，有种声音曾使我有所感触，那是漫漫长夜里传来的一记记钟声。大人说是"幽冥钟"，为超度某个因难产而亡者敲的。那钟声带着愁惨之色使我多年不能忘怀。

　　西方的钟也不仅是乐器，其功用主要是与其信仰相联结的。它的重要功用是召唤信徒快上教堂去听布道做礼拜。它可以启人向善之心，且有祛邪之效。古时据云还有鸣钟以驱雷霆的做法。

　　在西方音乐中，钟声大都也是传递一种宗教情绪。柏辽兹《幻想交响曲》末章《魔宴之夜的梦》中，群鬼喧嚣，其中也有主人公苦苦追求而已化为丑怪的女性。忽然钟声铿然而作，乐队奏《愤怒之日》主题，一支源出于中世纪安魂弥撒音乐中的曲调，后世乐人常常援引它，成了个典故似的。杂响着粗厉的钟声的这个乐章，窃以为格调不高，徒然浪费了作曲家高超的配器笔墨。

　　老柴的《一八一二年序曲》，快要收尾处钟声大作，加上礼炮声与打击乐器，拥着那《神佑沙皇》的主题高奏，极力渲染出一片万民欢腾的气氛。这就兼有政与教二者的情绪了。

　　我乐于多听的是比才笔下的钟声，这乃是收在《阿莱城姑娘》组曲中的一章《钟乐》，因为它更有人间味。曲中，只用三个音组成的钟声曲调翻来覆去地敲，衬托着高音上的主题，喜气洋洋；就在这喜气洋洋的对照下，都德原剧中那位情场失意的男主角的苦恼也更叫人不胜其同情了吧？这套组曲中《田园》一章里也有"钟声"，也是带着人情味的暖意的，像是米勒画的《晚祷》中听不见的钟声味道。

钟声又常常传达丧音。最简洁有效的一例，便是肖邦的《送葬》，其中有仅用两个音符组成的"丧钟"。这当然只是键盘上摹拟的钟声。但"丧钟为谁而鸣"？当时与后世的听者都听得分明。

钟声的特性又使它适于传达一种缥缈的意象，这正投合了印象派乐人的口味。德彪西的钢琴曲中一再出现钟声。《叶荫钟韵》固然写了它，《沉寺》中又可听到淹没于水下的教堂里传来了"沉钟"之声，那又是钟魂不散了！而早期之作的《月光》，曲中钟韵也是其妙不可言说。那是由不相和谐的两个音相撞而成的，似涩还甘的一种效果，正是钟声特有的一种味道。更有意思的是每听此曲，总不期然想起韦应物诗中的月与钟："流云吐华月""残钟广陵树""听钟未眠客""秋山起暮钟"。韦苏州可谓深谙钟韵的诗人，而听德彪西之曲会想到他的诗，似乎也多少同钟的古老有关吧？

德彪西与钟有缘。他探求新的和声、音色，是从钟声中有所领悟的。他还有一首《塔》，东方色彩的（虽然此公一生中并未东游），像是用钟、铃对语与应和的意象编织了一幅写声小品。

以钟声入乐，写有钟声的景色，有篇音乐我总禁不住要一再去回味它：意大利人雷斯皮基的《罗马的喷泉》中最后一章，写梅地奇别墅的黄昏。我听出景中一定有个吉本那样的怀古者，徘徊于苍茫暮色之中。疏疏淡淡的远钟，群鸟乱啼，钟声淡化进暮色里，带着听者怅然自失的心一道弥散开去。

这篇音乐把钟琴、铃、钢片琴这类美声乐器和管弦乐中的绝色竖琴都用上了，还不够，又让钢琴也参加进去。那锦绣般斑斓的音响效果，是作曲家苦心经营的结果。这一章标题乐妙品，可谓音中有画而又乐中有诗。虽然色彩绚烂得耀眼，却绝非为了掩盖平庸的姿色而涂脂抹粉。

钟声的特殊魅力并不是无端而生，它的发声现象有独特之处。敲响之后便立即衰减，却又引出悠扬的余响，向各方扩散。尤其有个性的，是那丰富复杂的泛音。一击之下，在其基音上继发一连串泛音。其中有与基音成三度（偏向于小三度）、五度、八度、十二度等泛音。在一口巨钟上，竟会生出上百的泛音，音域可以扩展到好多个八度。奇妙不过的是，当上面的泛音快要听不见的时候，基音下面忽又生出一种比它低八度的"哼音"（Hummingtone）来。它的这种泛音现象又不同于别种乐器。在其他乐器上，泛音与基音相混，一般听不大分明。钟则因其余韵悠长，传送得远，便给了那些泛音以显露的机会，可得而闻了。

中国古人的听觉与审听能力真叫人叹赏！"盖尝闻之撞钟，

大声已去，余音复来，悠扬宛转，声外之音，其斯之谓矣。"
说得多妙！这是北宋范温《潜溪诗眼》中的话（见《管锥编》
第一千三百六十二页）；那"声外之音"不正可以形容钟声中
的泛音？再说，这一段借钟声以说诗画之韵的话，反过来，不
也可以让我们借诗画之韵去体会钟韵之美吗？（滑稽的是，朱
熹却讨厌古琴上的泛音，比之为小人！）

可注意的现象还有。钟的基音与泛音，泛音与泛音之间，
不尽谐和而相互干涉。特别是有一类钟，基音的八度泛音不那
么准，有的是其"哼音"不是低八度，而是七度；这一来，自
然又造成了不协和。那么它是否成了逆耳之音？英伦有家教堂
里有一古钟，就是"哼音"低七度的。1933 年，改悬另一具
调得准的钟。谁想这一改反而引得人们一片哗然。还有耶路撒
冷的一所东正教教堂的大钟，经过重新调音，音虽较纯而其韵
顿减。由此可见得，正是那不甚纯不大和的效果，助成了钟声
的特色与韵味。（设想假如有一口钟，声音纯得像调音叉，那
肯定是不堪入耳的。）

旧俄古来所铸的许多大钟，尤其富有此种不同于西欧古钟
的不纯之味。《一八一二》当年首演，老柴原想大大利用一下
这特色，让莫斯科满城大小教堂里的"俄味"大钟，只等克里
姆林宫一声炮响，便一齐轰然而鸣。结果只用上了乌斯盘斯基
教堂里的钟。

浇铸这庞大之器（世界上最大的一口，重两百零一吨），

已经是够麻烦的工艺了；铸成之日还须为这"大钢琴"调音，又是一门绝活。主要是将那些泛音中最关键的四个予以"微调"。具体办法是对钟腹内几处地方进行锉削。

中国人掌握铸钟工艺固然领先于泰西，大可自豪；而调音技术之精妙，更应大书特书。见证还是那套曾侯乙编钟。大小六十五具，每一钟上又可于不同部位叩出音高不同的两个音来（周景王时已能做到这一点）。整套编钟的音域达到五个八度。每一组中十二律俱全，十二律旋相为宫，可转五调——其所以不能转更多的调，是因为所用的并非平均律。倾听如此宏大而又相当准确的钟声，能不为这种乐学与工艺的辉煌高度而神往！

泰西也有"编钟"。上文说到比才那可爱的一曲，题目便是这种乐器与其音乐："carillon"，即"钟乐"。它的出现与盛行，是中古以后之事。它被安置在遍布各处的教堂钟楼里。

这钟乐可以演奏的曲调，花样之多，说来有趣。五具钟的，可有百二十种组合；十二具的，则此数一下子增加到四千八百万！故此伦敦圣保罗堂那十二具一套的，完全可能连奏卅年不重复。

战国编钟入土，音沉响绝；西方人却对钟乐兴趣越发浓了。一人或几人演奏它还嫌烦，便发展出有键盘可操作的复杂的钟乐。演奏者须套上护手去敲打那大而重的键盘。再进一步，又出现了自动化的钟乐。其机制类似机械管风琴，也可以说它像个巨人的"八音盒"。它有一个转动的滚筒，滚筒上安着拨子，拨动杠杆，牵动钟槌，叩响钟声。最复杂的钟乐，较简单的赋格曲它也能奏。巴赫曾为之谱曲。

西方文学中有一篇绝妙好词，在《巴黎圣母院》卷三的《巴黎全景》一章之末。写的是 15 世纪邋遢的巴黎城，节日钟声大合奏。读起来像是一篇"钟声赋"。但如想欣赏这文字，我愿推荐一种恐已"鲜为人知"的老译本——《活冤孽》，俞忽译，老"商务"版。（提起此书还忍不住赘上几句。新中国成立前买的那部早已失去，"文革"前又从旧书摊上得了一部，理所当然，葬身秦火。去年居然又得了一部，这却要感激替我去发掘来的安迪君了！而俞忽这位有特殊魅力的译者是谁呢？书迷也有奇遇。20 世纪 50 年代初，偶游厦大，见到徐霞村教授。遂向搞法国文学的他请问，真没想到那一笑之后的回答："就是我！"）

这回我禁不住翻出那一段来便抄，想让有同嗜者同赏雨果的妙笔与俞忽的妙译，然而抄了千把字终于割爱——我写的已够啰嗦了。

那么就来抄一节不长的写到钟的好文字。房龙在其《人类的故事》的序里，忆儿时登上鹿特丹古教堂钟楼所见（按，荷兰钟乐是有名的，举世闻声）："再上一层是各种铜钟，……宏伟的大钟似在寂寞中回顾过去六百年的岁月，它同鹿特丹善良居民同甘共苦的经历……周围悬着小钟，这些小家伙每周两次为进城赶集和打听新闻的乡民奏一些轻快娱人的音乐。另有一口大钟，孤单地缩在角落里，沉默而严肃。它是报道死亡的丧钟。"

房龙关照人们"要感觉历史"。我爱读他此序，正因其中写到的"可以听得见的静寂""可以触摸得到的黑暗"和上面引的无声胜有声的钟，都可帮助人去感觉历史。

有那么一个钟乐的曲调是老上海人极耳熟的，江海关大楼上报时刻的钟声。这支小小的曲调却也联结着一些不妨一说的历史。首先，曲调作者英人克洛契（W. Crotch）便不凡，是一位曾被期许为莫扎特再世的大神童，有惊人的履历为证：才两岁零三个月，自弹自会，在风琴上弹《神佑吾王》（英国国歌），不光是曲调，还有低声部；四岁，几乎天天为人表演风琴独奏；十一岁，当上了英王学院、圣三一学院管风琴师的助手……廿四岁被任为皇家音乐学院校长。

这位神童谱的钟乐曲调，剑桥的大玛丽堂采用了。1892年，剑桥再一次提出要授勃拉姆斯以荣誉学位，大师仍然坚辞不赴，约阿希姆代他去领，指挥了那部有人誉之为"第十"（可与贝多芬《第九》相提并论的意思）的《第一交响曲》。人们听出末一章里的圆号主题同剑桥钟乐巧合（并非吻合），大为惊喜。这支钟乐曲调，到鸦片之役后五年，又被英伦交易所大楼采用。1859年，英国巴力门新厦上也敲响了它。上海江海关原先用的便是此调。（黄自作电影音乐《都市风光幻想曲》也用上了这支曲调。）

协和与不协和交混，助成了钟声的特色。作为"文明与野蛮"交混的"历史剧"中现成的配乐，其味自然更是甜酸苦辣了。战国编钟显示出相当高度发展的文明。可怜的是同它一起出土的赫然有殉葬女乐们的枯骨。对于她们，不论生前死后，那钟声想必是野蛮而可怖的吧？

例如有那么两次历史钟声，是上了歌剧舞台的，但那本来便是历史舞台上的声音。一次是威尔第写了歌剧的《西西里晚祷》，那是 1282 年发生在意大利的事件，虔诚的钟声成了发动起义的信号。

梅伊亚贝尔[1] 为了写大歌剧《新教徒》，曾颇为认真地上图书馆去翻查古老音乐资料，用进剧中音乐。此剧中的"圣巴托罗缪之夜"也是史有其事：钟声一响，旧教徒便一齐动手，大杀信奉新教的异端。萧伯纳说，此剧中斗剑的场面，哪怕在钢琴上弹弹那音乐也会嗅到血腥气，惊心动魄。那么，大屠杀号令的钟声，在 1572 年 8 月 24 日那天夜里，人们肯定会觉得血腥气扑鼻而来了！

钟声中的掌故一定是说不胜说的。古老的钟声，自身即是有声的掌故！

1　Meyerbeer，现在通常译为迈耶贝尔。

【附记】

　　"在《新教徒》中，钟管琴预示第四幕中将出现屠杀场面的气氛，与钟管同时出现的是两支大管，并与两支单簧管的低音组成了预示灾祸的和弦，这加强了不朽的一幕中令人不寒而栗的气氛。"这是柏辽兹名著《配器法》中的一节。论者以为，他和瓦格纳都从梅伊亚贝尔的歌剧中学到不少法门，虽然他们并未提起过。

杞人忧乐

　　高雅音乐好像真在热起来了。有那么多唱片供人选购，其中有不少是往昔的乐迷闻所未闻乃至不敢梦想能听到的。

　　在不胜感慨的同时，也惭愧地回想起自己当年的无知可笑。少年时嗜乐如狂，不知天高地厚，竟妄想尽读古往今来天下一切的好音乐。积五十年井底蛙的狭隘经验，在有那么多音乐可听可赏的如今，反而为了音乐太多而替今人担忧了。

　　所杞忧的主要是两条。一是，有力、有福坐拥成堆满架CD者，哪来那么多时间认真倾听？

　　二是，那些不大可能搜罗很多唱片，也没有可随心所欲支配的闲暇的爱乐者，会不会把钞票、时光与心思冤枉地耗在那些并非最值得先听、多听、细听的东西上？

　　书迷大都盼望能有"必读书目"做选求的参考。乐迷们更需要一份"必读曲目"。

　　何以认为更需要？有个简单的道理可说。

书本可以精读，也可浏览。学外语有"速读法"，对于提高泛读能力大有效。

音乐可不能这么办。一篇《自新大陆交响曲》中的"广板"乐章，决不可改奏为"快板"来速读。对乐曲速度的处理，不必死板地用节拍机来规范，但那弹性处理只能给演奏者以"小自由"。有趣的是，从19世纪以来，虽然许多古典派作品中的大段重复已经省掉了，如此也节省了今人不少时间，但某些经典之作的演奏时间也有放长了的。莫扎特的《费加罗的婚礼》序曲，今天的演奏从录音上记下的时间看，一般在四分钟左右。而读萧伯纳在19世纪写的一则音乐会短评，知道那时的老传统是此曲必得在三分半钟之内演奏完毕，当时他一边听一边看着表核对演奏时间，还为那位漫不经心的指挥握一把汗哩！

高科技不能像压缩饼干那样压缩听音乐的时间，凡人也许不可能有速读音乐的特异功能。归纳成一条简单的道理，听乐必须支付时间。

而且不能打折扣。这却是雄心再大的嗜乐者也无可奈何的。

还可以补充一点，虽然许多伟大著作是不厌百回读的，但好读书如毛姆，他自云，像《堂吉诃德》这部书，他也不过通读过三遍。可是音乐的读法同书本、绘画的读法又有一种不同之处。每读一曲，只有在完整的倾听中你才能将那座"流动的建筑"在心中营造成功。而要真正感受一篇好音乐之类，你不得不在反复倾听中投入大量时间。像贝多芬的《第九》这样的作品，听百遍千遍你才会发现原先未曾感受的新东西。

假如足下日进斗金，且有神通，以寸金买寸阴，那当然可以狼吞虎咽地饱餐音乐，学古罗马贵人，饱了便服催吐剂，吐空了肚皮再吃。

那你才可以尽听一千多首巴赫，六百二十六首莫扎特，一百零四部海顿的交响曲，五百六十七篇舒伯特的艺术歌，维瓦尔第的至少八十部小提琴协奏曲……

这当然可以作一篇科幻奇谈。但一看到对 CD 收藏家的报道，或是名牌唱片公司大而且厚印刷豪华的目录，本能的联想却是伤食症。

对于钱、闲皆窘的寒士们，"必读曲目"是非常需要的了。然而这份节目单并不那么容易编排。不可不读的作品实在太多，太难割爱了！

比方说，排到莫扎特名下，从四十一部[1]交响曲中只选取那最后的三部，自然是无可争议的，然而不把那第三十八部《布拉格》也收进去，又为没认真听过它的朋友感到极大的遗憾。六十多年前，一个朋友提着留声机和这套老唱片来，自己头一回听到它，平平淡淡地听了过去。假如当时有人提醒我，好好注意这音乐，那我今日从中所得的享受更不知有多么

1　这是作者当时掌握的情况。据最新统计，莫扎特一生共创作了五十六首交响曲。

美妙!

再加他那些同交响曲同等重要的钢琴协奏曲，二十七部中当然只好选几部，选哪些？也叫人煞费思量，无从下手！选贝多芬、舒伯特、肖邦、瓦格纳、德沃夏克等人之作，无不有让选者苦恼为难之处。

人之一生，恐不能只抱着若干种必读书啃、皓首穷经而不"窥园"，不知天下还有其他。"必读曲"虽已令人有读不胜读之叹，"可读曲"却才真正是没有底的。

所谓"可读曲"，大多是并非我辈门外听乐者非读不可而且要精读之作，无非是那种颇堪一听再赏，但不见得会从此迷住你的音乐。

必须说明的是，有那等高深玄奥的经典作品，无法收入"必读"。因为我们没那份听力和经验，也没功夫啃，却也在"可读"之列。有机缘听得到，或借来读，见识一下，领略领略，虽浅尝即止，不求甚解，但也开阔了眼界。例如，巴赫的《马太受难曲》《哥德堡变奏曲》，贝多芬的《D大调庄严弥撒》之类。

所以，"可读"的并不都是档次低的，同样，也不能非"神品"才要"必读"，这里用一小例试加说明。

看萧乾的《在歌声中回忆》，那位款待他听乐的英国店老板可爱极了！但他把《幽默曲》打入"轻音乐"另册，实在不能苟同！这篇《降G大调幽默曲》谈不上有深意，却也绝不肤浅，更非什么消闲解闷之乐。这是一篇诚挚的、乐如其人、可以认出德沃夏克那个人的音乐。因此不怕方家齿冷，我主张收进"必读曲目"。

一份没有异议的"必读曲目"是不会有的。

更值得思索的一个问题：除了这两种之外，要不要再考虑一份"可不读曲目"？

西方乐史中记着不少无聊乐评的事例，或捧昙花一现的新人，或骂离经叛道的新作，或乐人相轻、党同伐异等等，怪现象不一而足。但更有严肃切实的乐评。尤其有益于读乐的，是出自本人就是作曲家且又文乐兼长的大师写的评介文字。例如老柴写的，都平实亲切，却不是一味恭维。对他自己的大作，常常不满意到了近于自卑。舒曼最可敬，他热诚鼓励新人，严峻鞭挞庸众。

大师风范当然不可及，从所见的一些辅导鉴赏的著作看，对名家名作也不是隐恶扬善一片颂声。

当年孤陋寡闻的我还大做名家名曲皆完美无瑕的好梦，渴望多多益善无所不听之日，每读这类文章，总有些将信将疑，但也刺激了审美的自主意识。听得多了，才悟到，上了乐史、名曲介绍、唱片的，并不是一律值得洗耳恭听的。

听过《天鹅湖》全剧，后来就只愿听"精选"。《胡桃夹子》组曲是老柴自编的，很耐读。尤其那首精致的小序曲，旧俄味极浓，每听便不由得联想到柯罗连科们写的短篇小说上去。它也有资格进"必读曲目"。但是朋友想通读全套舞剧，我就劝他不必。

对于想买老柴交响曲全集的人，我也想奉劝他，不如只听后三部，把节省下的时间用之于精读《悲怆》和《里米尼的弗朗切斯卡》。

"乐圣"的作品是不是篇篇都值得读？像那部不得与九大交响曲相提并论的所谓《胜利交响曲》（一名《惠林顿交响曲》），我想，读乐时间不充裕的，大可不必好奇。还有，他仅此一首的《D大调小提琴协奏曲》，是必读之曲无疑，然而经他亲手改编为钢琴协奏曲、被标为"零号"的那作品，虽是往昔的乐迷不可得而闻的稀奇之物，还不如省下听它的时间，再去细听几遍《第九》。

概括地说，哪些音乐是可不读的呢？

一种是那些卖弄技巧铺排词藻的。协奏曲中最多此类货色。一种是滥用文学、绘画形象，实则没有多少诗情画意的标题乐。一种是用华丽的配器打扮得珠光宝气，而其实俗艳的歌剧、舞剧音乐。一种是自作多情的沙龙小品。还有那些19世纪末叶以来颇为时兴的民族反味仿制品，等等。

想到此，又疑惑起来。对于诸如此类音乐，也许还是应该特意找机会注意听一听；以广见闻，以资对照；从平庸可知高妙，看东施效攀更觉西子之美吧？

前人编过一部《恶词选》，时贤也有主张出八股文集的。

"可不读曲"是否可出音响资料专辑，或举办专题音乐会？

这么说，世上竟无不可读之乐了。开卷有益！付出若干时间的学费还是值得的。只要是并非"有闲方好雅、无聊才发烧"的真心爱乐者，总会从读乐中形成他自己对以上三种曲目的看法的。人都有自己的"审美的鼻子"（德彪西语，姚文元也用过），又何苦让人家牵了走！

乐中史　史中乐

　　音乐有它自己的历史。联系乐史倾听作品，个别作品常常会显出原先没感受到的意味。

　　自己听得比较熟的西方音乐，其实不古不新，18、19世纪的作品而已。在这之前的，难得听到。当代的，听了又十分隔膜。

　　从中世纪沉睡中一觉醒来，西方音乐文化那发展的速度，似乎比别的艺术更迅而猛，忽然便呈现了18、19世纪的热闹场面。

　　布·福斯特的《变化中的英语》这本书很有看头。其中说到一个词的变化，却似概括出一段现代乐史。他说"音乐"这个词，今天的含义不但比18世纪，甚至比三十年前也来得广泛（此书1968年出）。因为它包括进了不少从前根本不被当作音乐的东西。

　　中西乐史正好成了对照。听巴赫以前的欧洲音乐，觉得古得很。听我们明代的音乐，却似乎并不太远。西方音乐冬眠时，中乐的黄金时代早就出现过了。想到从孔子听得不知肉味的韶乐到唐宋的法曲仙音那段乐史的光辉灿烂，再想到后来长时期的冷清寂寞，便感到了那历史的"节拍机"走得太慢了。

从乐史想开去，又感到乐与史之间有着微妙的联系。自己既好乐，又是史迷，便常常把二者扯到一起来乱想。

如今还能让我们据以想象已失传的宋词音乐的，大概只剩下姜白石的十几首歌曲了。虽说按那原谱译唱，我们听到的仍是简约了的音调，小红唱，白石道人自己吹箫伴奏的实际效果，想必丰富得多。但即便听个轮廓，也是古香扑鼻，假不了！更可惊的是调虽古而情不隔，同读史的感受颇能合拍。听《扬州慢》《淡黄柳》两调，乐中仿佛蕴含着寒意，又如幽谷黄昏似的寂寥。音乐好像照亮了词中意象。于是"波心荡，冷月无声""唯有池塘自碧"也"境界全出"了。

不大好作伪的音乐，可以成为史情史镜的化石，这是令人惊喜的。本来，总觉得令人迷惘的是史书往往不可信，何况是文字难以记录的感情。读史而不得其情，还是不得其真。要记录和传达史中之情，只有诗与乐了。几万首唐诗让我们对唐代的文明与野蛮有更深切的感受。假如除了《全唐诗》还保存下"全唐乐"，那我们对唐史的感受会大不同吧？

爱迪生遗憾自己发明的留声机没赶上拿破仑时代，录下那一代枭雄的讲话。我想，录波拿巴，何如录贝多芬！好在乐谱上已经录下了贝多芬的音乐语言，那也许更有助于我们捉摸那个大时代的感情。

所以，正如我相信《红楼梦》《人间喜剧》等等小说可作史读，只是不必去猜谜索隐；也相信：乐中有史，乐即是史。"六经皆史"嘛！

真是有幸，年轻时正逢人们热心也真情地唱歌的大时代。古来那么爱重音乐的中国人，喑哑了几百年，忽然间，群歌群唱成了生活中少不了的节目。如今，大量的回忆都可以用某些群众歌曲来唤醒。一唱起老歌，中国的、苏联的，那乐感同历史感便分不开了！

丰子恺提到他少年时唱学堂歌时的震动。我想，只有在抗战爆发时听过、唱过尤其是同群众一起唱过《义勇军进行曲》的人，才真正知道它的惊心动魄。

自卫战最艰苦但也是强弱之势正将逆转之年，我在敌后曾听到一次不寻常的大合唱。那是一支待命出发的部队，全旅集合在古镇中的一片空地上，齐唱《新四军军歌》。人多场大，声波传送的距离参差不齐。最前列已唱到后半句，最后面的人唱的前半句才传上前来，形成了卡农（轮唱）似的效果。前浪未歇，后波涌到，并不觉得是乱了套，反而有山呼海啸之势。其实当时那支部队并没有满员，后来部队日益壮大，再找不到一个空地能容纳全旅人马。那次听到的壮丽的时代海潮音，便只能在想象中再现了。

　　当时集体唱歌，大家最爱轮唱，有些歌并非轮唱曲，也这样唱。虽然造成了不大协和的音响，反而愈觉得热闹、过瘾。人们从自己创造的和声对位中得到了享受。

　　接触了复杂的西方音乐之后，没想到又发现了群众歌曲。它简单，却表达了人们当时乐于也急于宣泄的情绪，又那么耐得起翻来覆去地唱。许多歌，一个人独自唱没劲，大伙儿一条声唱，那味道就出来了。这是复杂的音乐也许难以办到的。同样是唱，歌剧中的情感是"放大镜下的形象"，夸而失真；艺术歌曲是精雕细刻的工艺品，雅而无力；群众歌曲虽然简单，却有力与真。复杂的艺术代替不了单纯的艺术。难道是因为单纯的艺术往往反映出人与史中的单纯的一面？

　　看过一部电影:《亚历山大·聂夫斯基》。爱森斯坦导演，契尔卡索夫主演，而音乐是普罗科菲耶夫配的。是精工制作的一部历史片。其中冰河大战那一段高潮，据说几乎是按着一个个镜头的变动来仔细吻合那画面与音乐的。导演的苦心真可佩服。可惜史与乐之间并不都能那么配合。

　　谁能说清楚巴赫那莫测高深的复调迷宫与其时代的关系！18世纪的欧洲风云在他那四五十大本的作品集中，似乎影响全无。

　　自从烈士暮年的贝多芬退隐到弦乐四重奏中去沉思冥想，西方音乐同历史主潮之间的关系便难以理清头绪了。

　　听瓦格纳的最后一部乐剧《帕西法尔》吧，他回到中世纪去了。难以想象这是一个曾经卷进德累斯顿起义的人写的，而且那是"国际"与"公社"的时代。

史沫特莱是一位极容易动感情的伟大女性，不然的话，也不会一听到医生说鲁迅的肺病严重，便满眼是泪了。在八路军中生活那一段时期，她很注意听人们歌唱。在她的文章中有一个动人的镜头，她曾同大家一起高唱《国际歌》，中、德、法、英四种语言并用。那是历史感多么强烈的音乐！

20世纪60年代，在井冈山地区，我无意中从这首歌里体验到另一种历史感，极可珍贵。当地一位老农和我偎倚在灶门口，他一边添柴，一边信口唱起他拿着梭标当赤卫队员时唱的一些老歌，一开始我竟没听出，其中有《国际歌》！

原来，曲调中那些中国人不大习惯的"4""7"，都给中国化为别的音了。节奏、腔调也民歌化了。一想到十月革命一声炮响送过来的西方之音，在古老东方工农割据的苏区，竟普及到被"化"了的程度，立时引发出种种的历史联想！

使人有历史联想的音乐，并不都是使人愉快的。我就怕听京剧。其实从小不但看过戏，也从老唱片上仔细听过一些名伶的唱腔，印象特深的是老谭的《探母》《卖马》《乌盆计》等等，至今还可以追忆出一丝苍凉的韵味。

我一直觉得，既像"宣叙调"又似"咏叹调"，简单之中包含了丰富的变化可能性，不古不今，又可古可今的京剧唱腔，恐怕是世界音乐文化中稀有的现象。又觉得它浸透了某种中国味。而如要从想象中揣摩玩味从清朝中叶到民国年间很多人物的感情，它又是绝好的"音响"资料。许多人精于做戏，更多人习于看戏。要为这种真真假假、真假难分的气氛配乐，我看皮簧是最合适的了。而那一历史时期种种可憎的人物与乌烟瘴气的场面，往往正好有这现成的配乐。万没想到，"文革"中它又成了戏中戏的配乐！

鲁迅为何在《社戏》中说他怕听"咚咚喤喤"，而且总是对京剧没好感？是否就因为有这种历史与现实的联想呢？

京剧音乐自然是无辜的。也可以说是音乐遭到了侮辱。

每一想到柯勒惠支的画《囚徒在听音乐》，便即想到希特勒之类居然爱听贝多芬、瓦格纳的作品，总是极不舒服，因为好音乐被玷污了。

斯大林格勒之役，以保卢斯全军覆没结束，当时，纳粹广播在战报后面接播了"命运"的慢板乐章！

对音乐的放肆侮辱，高潮在1945年"五·一"之夜。大独裁者毙命于地穴中已有六小时，汉堡电台以勃鲁克纳《第七交响曲》为前奏，宣布了希魔之死。

至于奥斯威辛死亡营中，一面用毒气实行大规模流水作业式的屠戮，一面强令尚未轮到的犯人组成乐队奏着《霍夫曼的故事》《风流寡妇》等轻松的音乐，更是疯狂的历史，荒诞的配乐！

庄严与无耻，文明与野蛮，竟如此错综交织，历史的复杂性恐怕会使作曲家束手了！一个贡献过歌德、黑格尔、贝多芬，尤其是马克思、恩格斯的伟大民族，怎么会染上这种瘟疫？这一问题的提出，也是不好回避的了。

鲁迅极少谈音乐，不知他对音乐是喜欢还是不喜欢。但他明明是善于从无声处听到正被写着的历史中的音乐的。而他的文章与行动也正是庄严无比的乐章。历史中，的确有不需谱制的现成的音乐。

记得在淮海大战那时，自己虽不过跟着部队走路而已，却也听到了真实的历史的音乐。在一片自秦汉以来便是四战之地的大野之上，千军万马从四面八方前来会战，展开一场极其壮观的几路纵队急行军。有的齐头并进，有的穿行而过，各自奔赴指定的阵地。空旷的平原上有一种紧张的肃静，并没有人喊马嘶。千万双布鞋草鞋踩在土地上，隐隐地擂出了定音鼓上"滚奏"的效果。真是令人兴奋而又敬畏的"渊默而雷声"呵！正像是《命运交响曲》中从"谐谑乐章"结尾处酝酿着向凯歌高奏的终曲过渡那段音乐。

这也正是"天步"之声！"天步维艰"的时代似乎已经过去。此时，它以一天等于过去二十年的"急板"加速行进，谱制一部新的交响曲。

这境界如此宏大、多维，歌曲是无能为力了，非交响曲不足以表现那复杂性了。何况，"呈示部"固然不容易落笔，"展开部"可就更难谱写了！

历史有情，且有音乐加以记录。经过时间的无情淘洗，人们读乐读史的感受便深化了，在"间离"中加以观照，顿生新的感慨。原先的单纯，可能已渺然不可复追！

所以我觉得，音乐实在是史中的重要部分。重读威尔斯《世界史纲》，厚厚一册，叙述音乐的不过几页，无乃太不公平吧！

现成的史剧配乐

　　如果要给一部历史题材的电影配乐，几乎不愁没有资料。大概也正因为资料多，可以随便用，害得有些本身有价值的音乐变成了标签。就像有人嘲笑瓦格纳乐剧中的"主导动机"：人物登场，同时响起了他的"主导动机"，如同递上一张名片。

　　前文中提到电影《易北河会师》中配了《林涛》的片段，产生了唤醒历史回忆的绝妙效果，如此高明的笔法，何可多得！虽说这部片子从整个来看，似乎并不高明。（特克尔《劫后人语》中忆易北河会师的一篇，尽管是"短片"，历史感却真切而又强烈。）即以配乐而论，在同一部电影中，演到东德人在废墟上建立新秩序，成立市政机构的场面，配上了《命运》末章的胜利凯旋的音乐，便不免有落套之嫌了。尤其在今日，这一段是回想之下叫人啼笑皆非的。

　　但我却常常觉得，演不完的历史长剧中，自有许多极现成的配乐，即史中自有之乐。读史者倘不去留心听它，那他就是在看无声片了。

中国历史特别长，现成的配乐也特别的多，可惜的是记载虽存而其乐已亡，只有用我们自己的想象去再生那音乐之声了。

有个春秋时代的例子，那里面的乐声极简单，只有擂鼓的声音。但那声音是血腥气的，而且是真正沾染着血污的。晋人同敌国的一场恶战中，解张夺过主帅手中的鼓槌来狠命地擂，他的手已经受创流血，他要用鼓声鼓动三军血战到底。闻一多在《时代的鼓手》中引此例以鼓动新时代的鼓手。自从被他这位后来倒在血泊中的"鼓手"引用，《左传》上记录下的这鼓声便更令人如闻其声，而且也似乎如闻其腥了！

《论语》这部书里有不少配乐。我觉得，最有乐感的文字并不是"孔子在齐闻韶，三月不知肉味"，而是"取瑟而歌"等等。尤其叫人有现场感的是孔夫子让门下弟子各言其志那一节中的"铿尔"。事隔两千多年，每读到此都如闻其声。那是正在鼓瑟的曾皙听到夫子问他："点，尔何如？"于是"鼓瑟希，铿尔，舍瑟而作"。接下去便是引得夫子喟然而叹，表示欣赏的那段话："暮春者……"曾皙恐怕可以算是最早的"言志派"吧！

对这段绝妙好词的不同解释，也叫人感兴趣。有人说，"铿尔"乃投瑟之声。王泗原在《古语文例释》中说法不同。

他设想当时情景是老师发问，曾皙且弹且听。问到自己了，仍未住手。但因为思量答话，故"音希"。想好了，拨弦铿然一声，才辍之而作。"作"并非起立，而是由"坐"改为"长跪"。古时席地而坐，那"坐"同跪是差不多的，"长跪"则须将上半身挺起。

往昔对"四书"的解释，朱注是权威。朱对这段也有妙解：以年齿为序，曾皙应当次对。但因其在鼓瑟，故老师先问别人。

钱穆在他的《论语新解》中对"铿尔"解为"以手推之而起，其音铿然"。

王泗原说得有味道："此章表见孔门教学气氛"，"弟子或率尔而对，或鼓瑟而不辍，了无拘束"，"师生关系亲和若是，观止矣"。

对于我来说，从小便熟读过的这段文字，因其是有声的史景，更觉得其味无穷。

荆轲刺秦王这出历史名剧，其中既有易水悲歌，又有高渐离击筑，人皆熟知，不用再提。但《燕丹子》中还记下了一段诡奇的插曲，注意的人似不多。说是图穷匕首见，秦王要求容其听琴而后死。那鼓琴的姬人通过琴上之音提醒秦王："罗縠单衣，可掣而绝，八尺屏风，可超而越……"于是秦王得救而荆卿事败。

这虽像满纸荒唐言，却又可以对其做些合理的解释。我们

知道，利用琴弦上的滑奏，模拟人语是不难的。民间有一种
"单弦拉戏"便是证明。(吕叔湘《语文常谈》中谈汉语的声调
一节里也提到这事，见第十七页。)《燕丹子》中说当时奏的是
琴（即指七弦琴），而不说瑟，也不说是秦人最爱弹的筝；这
并非无故，因为只有无品无柱的琴，才最便于自由地演奏滑
音，模拟语调，而瑟与筝是有品柱的。

还可以为这篇传奇解释的是，那琴声所传的话，必是秦地
的方音，这才让秦王能懂，而那位来自燕赵的慷慨悲歌之士便
茫然莫解了。

史中之乐，即是史本身的一成分，所以比另外配上去的更
有激动人心的力量。其中有些是令人惨不忍闻的。嵇康临命一
曲《广陵散》，已成老生常谈，但那场面中有细节，值得一读
再读。"（嵇）问其兄曰：'向以琴来耶？'兄曰：'已来。'康取
调之……"

岂但"颜色不变"，而且还能从容调弦！须知七弦琴这乐
器，调起弦来并不像二胡、琵琶、吉他那么方便的！

这一曲《广陵散》，也可说并未"绝响"。历代相传，仍有
古谱。琴人用"打谱"之法"破译"出来，于是现代人可以倾
听这未绝之响了。不过，那所据的古谱是否真是原作的记录，
大可怀疑。何况要从并未注明节拍的琴谱中，猜度、还原其原
来的节拍与节奏，又怎能保证其相符？

有个历史镜头，表面上同嵇氏之事相近：梁简文帝毕命之

前被迫听乐。侯景既逼得梁武帝饿死台城，又把简文帝废黜
了，还要根除后患。于是派了大臣和乐官，带上乐人、酒肴，
所携乐器中包括一种从北方引进的曲项琵琶，来为这已下野的
天子"进觞"劝饮，说是"丞相（即侯景这个史中罕见的政
治暴发户）以陛下幽忧既久，使臣上寿。帝笑曰：'已禅帝位，
何得言陛下？此寿酒，将不尽此乎？'"，"帝知将见杀，乃尽
醋，谓曰：'不图为乐一至于斯！'"。

　　这段史话如果拍成电视片，观众有可能疑为凭空捏造之词
吧？但它由于涉及曲项琵琶和琵琶的演变，一再被考证乐史者
引用，似乎事出有因。按照老传统，处决犯人前要赏酒吃肉来
看，也增加了可信性。其实也可以认为，它乃是一种精神酷刑
的实录。从这事我忽然又联想到纳粹杀人营中强迫受难者奏
乐、听乐之事。那可又比侯景的做法更残酷了。一古，一今，
一中，一西，竟不谋而合，有如此相似之事，相通之情！只是
这里相通的并非人情，而是兽性。那么，说人性如何普遍、永
恒，不一定；说兽性普遍而永恒，倒可以深信不疑，否则将何
以解释恶人恶行如此不穷地再版呢！

　　魏晋人听乐，以能令人生悲者为善。平居闲暇之日听乐，
尚且听得悲从中来，那么简文帝临命之际还要受"音乐刑"的
折磨，还须装出"尽醋"的神气（他不大可能有"二十年后又
是一条好汉"的想法吧？）也就大可哀了！

　　同此种迫令听乐的音响之刑适成对照的，是剥夺犯人听乐

享受的虐政。妃格念尔《狱中二十年》里记着：狱中第一天，牢头禁子便下令：这儿不许唱歌！

还有更凶恶的，即狱中禁绝一切音响，把那个堡垒变成无声地狱，以此来折磨被活埋者的神经。我想，从音乐的角度来考虑，妃格念尔的切身体验可以证明休止符的确有莫大的力量，可怕的力量，"无声胜有声"！先锋派乐人凯奇有一篇无声的钢琴曲，也可说通篇是一连串休止符。不知他谱它和人们"听"它的时候，是否也曾想到那种无声的地狱？

古事已成淡化的远景，史中之乐又只能想当然，更显得缥缈了。时代靠得近，则其中之乐容易想象，有些音乐还是耳熟的。于是乐感与史感便更真切了。但是也有些音乐，原本属于反派角色的，时移世变，那史感丢失了而乐感也起了变化。

在一年一度的维也纳新年晚会上，《拉德斯基进行曲》是必奏之曲。作曲者是"圆舞曲之王"的乃翁——老约翰·施特劳斯。它是为奥匈帝国的一支团队而作，曲名即该团名称，也便是团长大人的大名。当你听这首乐曲，自发地跟着音乐节奏拍巴掌之际，可曾想到它也是近代史上一支真实的插曲？威尔第1848年8月8日于巴黎呈交法国政府一封呼吁书："适才收到米兰发来消息……拉德斯基将军的宣言完全说明了伦巴迪居民未来的命运，他们将高呼意大利万岁而死。"这个拉德斯基就是在军乐队高奏此曲声中，进军去镇压威尔第的同胞的。

《一八一二》这一曲中，有需要听者对历史感做一些调整

的地方，那就是《马赛曲》的音调。这首法国大革命中一唱便
热血沸腾的歌，用在柴科夫斯基的标题乐里成了侵入者和败军
的主题。当两军相搏进行到法方溃不成军之时，只听见《马赛
曲》主题也变得支离破碎，终于淹没在汹涌而来的俄罗斯音调
的洪流之中。这里的音乐意象可谓鲜明如电影了，但是《马赛
曲》的漫画化，也不免叫人为之怃然，当然，也想到了它的
变质。

老柴此曲，首演于1882年9月，过了一年，卡尔去世。
那时的欧人听《马赛曲》时的直感，是否也如今之俄人听
《一八一二》中的《上帝保佑沙皇》呢？

1871年之际，在围城巴黎地下室里写成的《国际歌》，当
然是庄严的插曲。作为对立面的音乐，也有现成的，那便是瓦
格纳当时写的《恺撒进行曲》。这一篇为德意志、德皇威廉歌
功颂德的音乐，未曾在德国以外流传，是否因为那音乐质量不
高呢？多年之后，萧伯纳评论此曲是瓦格纳的力作，而且说这
篇乐曲的产生和波拿巴王朝的垮台，是历史坏事中的两件好
事。他说这篇乐曲如史诗般堂皇，其灵感得之于铁与血的地狱
狂欢节，即普法之战。……当其来源被人遗忘之后，它是会受
人喜爱的。

但我以为，普法相争之年，萧还是个未成年的少年，且又
属于隔岸观火的爱尔兰人。事过境迁，才听此曲，那么他不觉
其逆耳也无怪其然了。

关于"国际悲歌"还有不少想头。当初《多余的话》的作者精心重译这歌的歌词，为了要使词曲吻合，上口易唱，他还踏着一架小风琴，自弹自唱，再三斟酌，费了不少心思。这情景，这声音，真正是绝好的也是叫后人感慨欷歔的有声史景了！（不要忘了，此歌原曲也是作曲者在一架破旧的簧风琴的键盘上谱成的。）

我在《史中乐》中提到井冈老农、前赤卫队员唱的这首歌，既中国化了，又农民化了。音调有变化，节奏也自由，加上语言是"老俵"的土音，乍听简直像一首不曾听到过的民歌。这大有"中国特色"的歌声，也将作为一种奇特的史感长记我心中！斯特朗（见其文集中译第二卷第二百八十四页）在乌兰巴托听到"带蒙古味的《国际歌》，比原作显得更有精神"。

何以是"国际悲歌"？我也有自己的联想。从前，党人开支部会，必先起立唱此歌，成了仪式（今似不然）。不问你懂不懂唱歌，没有不开口的。南郭先生可能也有吧？

据我所闻和自己跟着唱的，过去大家唱它都是用的一种放慢了的速度。这可能也同洋腔不大好唱有关系，或者久已成了习惯吧？音乐的效果同速度快慢关系很大。雄壮的进行曲，放慢了便像是颂歌，慢而没精神，又可能有赞美诗的味道。往昔有的戏剧里，壮烈牺牲的场面往往用此歌作配乐，那就唱得更加慢而悲了。但我遥想，《多余的话》的作者，在长汀罗汉岭下用俄语高歌《国际歌》，固然会比嵇康调琴更加从容无惧，也必定是照原来的进行速度唱的。根据是，他在写《赤都心史》之前早就听惯了用那种快慢唱的群众歌声了。而我是直到 1949 年后才听到了苏联唱片，才真正体验到那速度和气势的大不同。

史中的现成音乐，还有一种，可以比作讽刺画，因为是以正面音乐配反派角色，听了便替那好音乐不舒服，生气，觉得它受了辱。

曾想过，如果在戏里有希特勒出场，给他配什么乐好？一种办法是仿某些先锋派的乐风，还他以凶残丑恶。但这未免肤浅。根据史实，此獠却是德奥，尤其瓦格纳音乐的嗜好者。

每一想到这讽刺性的史与乐的配合，我又立刻会想到苏联电影《夏伯阳》中一个场面：白军的一个大胡子勤务兵，其弟犯了军规。团长大人下令施以鞭刑。平时极其忍从的勤务兵，掉了魂似地挨到团长的房门口，大人正在那里相当投入地弹钢琴，侧过剃得精光的和尚头，瞥见一副苦脸，随口问道："怎么了？"大胡子答非所问："死了！"

你道这位大人（相貌并不狰狞）弹的是什么？《月光曲》开头的那个乐章，音乐正配那夜深人静月光如水！几十年前看到这里，本能地火从心起：贝多芬、《月光曲》怎能受此玷污！（请朋友注意，它是我接受严肃音乐教育的第一课。）

《猎人日记》中，地主彼诺奇金只不过嫌那端上来的酒不大热，便轻声细语斯斯文文地吩咐把那农奴带下去受笞刑。别林斯基读到此，特别震动：什么样的举止文雅的坏蛋呵！

于是我觉得，希特勒欣赏贝多芬、瓦格纳，既不会假，也不可怪，反而是很值得多想想的了！

也许读者不嫌我抄一段史料为证："（1933年，纽伦堡）纳粹党代会揭幕，在富特文格勒指挥下，国家歌剧院演出《纽伦堡名歌手》……当希特勒进入包厢时，场中几乎空无一人。他十分恼火，派人去把党的高级官员从寓所、啤酒店……里找来，座位还是填不满。第二年他下令头头们必须到场……自1935年起，出高价购票的普通听众代替了反应冷淡的党员。"

上文乃据大独裁者的"亲密战友"，后来又对他怀有二心的施佩尔的回忆录。

但在这里，故作风雅固然可作讽刺剧观，真心赏乐，反而是更深的嘲弄吧！

在自古以来便大摆人肉宴的中央帝国，此类文雅得可惊的屠夫又何尝难找。六朝时代深好文词也的确懂文学，有文才的帝王贵胄，他们在权力之争中屠戮异己、株连族灭，也是不动声色、不动心、不手软的。

所以我以为，希魔出场，还是如实地配以他喜欢独坐倾听的瓦格纳之乐为既符历史之真也更能发人深省。

有人谈俄、苏文学，发"光明之梦"的感慨。我觉得，忆往昔喜闻乐唱的老歌，唤起的怅惘迷茫，才更难言说。俄、苏文学也是有现成配乐的:《快乐的人们》《快乐的风》《伏尔加河》（不是那首老民歌的《伏尔加船夫曲》，是斯大林宠儿亚历山大罗夫作的曲）、《茫茫的西伯利亚》，还有很老的《光荣的牺牲》这首民意党人的送葬曲。读妃格念尔的回忆录而忘了它的这支现成的配乐是太可惜了！

配在全民奋起抗战的历史剧中，全民高歌的救亡歌声，是历史中空前宏大壮美的现成的配乐。

那么还有一种也是空前（是否也绝后？）的历史配乐，十年大乱中，"从来没有什么救世主"与"他是人民大救星"同唱，而毫不觉其荒谬刺耳，这岂非一种罕闻的现成的复调？！

历史中有那么多个别场景的现成配乐，而每一时代似也大体有个总的音乐联想。一提到唐，自然要想到大曲等等，虽然已亡。幸好还有保存于唐诗中的"唐音"。明史中有昆曲作配乐。有人说明文学的代表乃八股文，而八股文中同样也有"音乐"。清末民初之史中咚咚喤喤的皮簧。

不会有某个时代竟难以给它找到现成的配乐的吧？找不到正面的，反面的配乐总会有的。当然，一个时代的配乐选什么才恰当，还是要让后来者站在一定距离上来反思了。

还是太虚幻境里自在

—— 读《瓦格纳作品舞台设计》

　　自从听到《黎恩济》《汤豪舍》《罗恩格林》《名歌手》等剧中的音乐以来，忽忽已是半个世纪过去了。对于瓦格纳的音乐并没有厌倦之感。可憾的是始终只限于听觉感受，只闻其乐，不识其剧。

　　并不指望在有生之年还能看到瓦剧的演出，尤其是《尼伯龙根的指环》。那是歌剧舞台上的恐龙，要特殊的舞台，还要一连看上四个晚上（十四张 CD 可以说明那时间的代价）。当时的人曾认为想演出它是想入非非，作者本人也没指望真能搬上舞台的。

　　正因此，前不久从上海一家西书店里捧回 O. C. Bauer 的这部大书（*Richard Wagner*，*The Stage Designs and Productions from Premieres to the Present*，1983），又惊又喜，从序言看到最后，又反复细看其中舞台景图片，简直像尾随着 19 世纪的

瓦格纳发烧友长龙，涌向拜罗伊特，参加了一次戏剧节！

最叫人兴奋而又忐忑的，当然是因为五十年听其乐的印象终于得到一个核对的机会，有些初次相逢留下的心影至今还没有发黄。比方《女武神的飞驰》，当年听的虽不过是老式粗纹快转片，但却并非凡响，竟是一张拜罗伊特的现场录音。从中可以听到一般唱片中所无的女武神的战叫。一听到那飘出于疾风乱云之上的亢厉的歌声，一种阿玛松似的形象便跃然而出了。那是既有英武之气而也带几分蛮悍的。这篇音乐的管弦配器浓墨重彩，达到的效果却又如元气淋漓泼彩山水！

还有把林中景色画活了的《森林细语》，写难状之火如在目前的《魔火场》等等，都是一听之下便叫人在心里展开了自己的想象。

如今，同书中所详细介绍的《指环》百年多以来的各种舞台场景设计一对照，才恍然于瓦氏心中的构想，以及其他人阐释的变体，原来是如此这般的！

纵然并不处处吻合，乃至大相径庭，不也是一种极为难得的体验——狂妄一点，竟有点与前人对话的味道！不管怎么说，这对于了解瓦氏的艺术是大有用处的。所以赶紧把读后杂感向有同嗜者作个报道。

从本书作者鲍尔的《前言》中知道，关于瓦氏艺术的资料虽已汗牛充栋，读不胜读，但是涉及本书话题的却还是个缺门。然而，决不能把瓦氏仅仅当一位作曲家看，他是戏剧家、剧作家（诗人）与音乐家（不单作曲而已）的多面体。他是为剧场而创作的。对他来讲，一部作品只有立在了舞台上才算大功告成。由此，鲍尔利用他在拜罗伊特工作的机会，广搜资料，编成此册。

更叫人大感兴趣的是，瓦氏的一位后人，他的次孙沃夫冈·瓦格纳，也为本书写了一篇并非敷衍应酬之作的长序。须知，他同乃兄维兰·瓦格纳，正是瓦氏事业的第三代接班人，是主持拜罗伊特剧院工作的。维兰认为，剧场艺术效果不像美术与文学那么可以保存下来让人去反复地从容欣赏。这种"时空艺术"只存在于幕启幕落之间。他祖父不但一手完成台本与总谱，而且将其对演出的要求也留在总谱上，正因为那也是他作品的组成部分，而其作品是要通过舞台来实现的。

鲍尔此书，左图右史，丰富的图片，形象的史料，文字要而不烦，没有学究气，可以当一部瓦剧演出史话来读。从《仙女》（早期之作，演出极少）到《帕西法尔》，一部也不缺地介绍了从 19 世纪的首演一直到 20 世纪 80 年代世界各处上演的情况。不用说，重点是拜罗伊特。

如果我们这里竟也有谁个想搬演瓦作，这大概是绝好的，至少是现成的参考资料，我情愿奉借，不讨酬劳。不过也有奇想，或许我们还可另出蹊径，用我们传统戏曲程式去处理，虚拟写意，载歌载舞，说不定又别开生面，也为歌剧史添新篇吧?

这里只能就《指环》一剧说说读本书的观感。它虽然不是瓦氏毕生事业的终结，可是完全称得上是一个辉煌的总结，是这位乐史之雄的一部大题大作的代表作。从动笔写剧本的散文稿到总谱告成，悠悠二十六年（其中实际用了十四年）。他告诉李斯特：此乃为历史的起始与终结而作的"世界之诗"。

古今舞台上无双的庞然大物，单是那篇"序"《莱茵的黄金》，就得"读"一夜晚，CD 是三片，要一口气听完，相当紧张疲劳。

"序"前又有序。这篇《前奏曲》也有奇处。那是作曲家在半醒半睡的白日梦状态中完成其构思的。他忽然觉得己身浮沉于流水般的降 E 大调和弦琶音之中，好像那泛滥不已的莱茵河快将使他灭顶了。惊得他睁开眼来，才知酝酿心头已久的《前奏曲》已"奇花初胎"！此曲之奇还在于全从一个在和声学上已成老生常谈的大三和弦中演化而出。

乐终幕启，便是令人目眩的水底奇观。莱茵仙子们绕着她们守护的世界之宝（也是万恶之源）莱茵黄金，载沉载浮地巡游嬉戏。为了摆布这一景，历来费了多少设计家与舞美人员的心力！

随后那"势如涌出"的瓦尔哈拉天宫也是一向引人注目的景致。妙在其既有舞台效果也有可以引发现实联想的寓意。把天宫搞得辉煌壮丽当然是剧中应有之义。19 世纪的布景沿用老办法，画在平面上，而又靠了那同和声学差不多是同步发展

起来的透视法的妙用，取得逼似实景的幻觉效果，这在制作上
并不难；后来便从二维的画景改成三维立体装置，也就更有实
感了。而让剧中人在立体景物中活动，舞台调动的灵活多变，
自然又加强了戏剧效果。不过也添了麻烦。例如要架起彩虹天
桥，让沃坦一伙神祇踩着它意气洋洋地步入刚落成的天宫，便
有些难办。从首演开始，就因其过于写实反而令人幻灭。后来
便避实就虚，或用画，或用幻灯把图形打在遥空之中了。

女武神策马驰骋在天上地下。阿尔伯里希戴上隐身帽，忽
地无影无踪，沃坦作法，立时腾起烈焰，齐格弗里德斩蛇夺
宝，惊险有趣……都是历来受到雅俗共赏的场面。既靠技术帮
忙（例如"神火"是利用瓦斯作焰，再洒酒精，有时因温度陡
增，靠舞台近的观众为之失色），但也见出设计上的巧思与匠
心。以往读瓦剧本时，对此类场面不免联想到旧时中国舞台上
的机关布景。此刻有这部图录在，才看到了西方舞台上的实
景。有趣的是也有相似之处。例如他们用幻灯显示空中的女武
神，我们的《火烧红莲寺》则演到剑仙打斗，放一段电影来交
代过去。（比拟不伦，有点对不起大师！）我理解他倒并无卖
弄噱头之意，同迈耶贝尔、奥芬巴赫有所不同。不然的话，拜
罗伊特座上客不会有尼采、哥蒂叶、屠格涅夫、萧伯纳等等以
及众多虔心朝礼者了。

瓦氏是要为世人贡献一部解释世界的乐剧，那种艺术上的
诚心美意恐怕是无可怀疑的。虽然我们也饶有兴趣地读到托尔

斯泰在《什么是艺术》中对其中场景的嗤笑，恩格斯在《家庭、私有和国家起源》中说到马克思曾嘲笑此剧台词中一处历史学上的错误，而且《反杜林论》中三次拿他与杜林相比。虽然他那以永恒之爱赎取光明的宣教也大似痴人说梦。看他精心结构的这部戏，写神、魔、主、奴为了权、财、爱、欲而相欺相斫、自腐自垮、自掘坟墓，四个晚上的戏浓缩了几千年之史；今日的观众，未尝不可栽他一个影射、讽刺、煽乱的大逆罪名！可见，《指环》并非那种只供胖得闲得发愁的庸人遣闷之作。

听其乐也可以相信这一点。看了此书中介绍的如此众多的不同设计与阐释，更叫人相信这一点。一部经得住长时间反复、不同的诠释的作品，说明其中有货色，有名堂，《红楼梦》、莎剧都是例子。

自从前两个世纪以来，有的人自然是力求忠于大宗师的原教旨，墨守着拜罗伊特的演出规范。亦步亦趋，连沃坦的腰带这种行头的细节也不敢改动，这又叫人联想"人间丑剧"舞台上各处搬演戏中戏（"样板戏"）的金规玉律，可以说不能"专美于后"了！更有古今同趣的是，瓦氏遗孀科西玛以她丈夫事业的卫士自居，"凡是"瓦氏手定的演出指示概不许变。这当然为有识者所嗤。记起《我的艺术生活》中，史坦尼便认为，许多人对《指环》不满，往往并非因其内容，而是看不惯那浮华的演出。那么我又想，托翁当年不终场而去，只怕也是演出方式加重了他的反感?

　　自从瓦氏作古以来，艺术新潮迭涌，拜罗伊特剧院外边的世界固然在变，就连瓦氏后人为此书作序的沃夫冈与其兄维兰这一双难兄难弟也敢于突破祖宗成法，自出心裁了。

　　此册中那些离经叛道的各种设计，正是读了最能引起思索、想象的部分，虽然并不都可以接受。

　　大体而言，往昔舞台上的瓦剧，场景是写实加"浪漫"。有些布景在仿真的细节上不避繁琐。例如《黎恩济》中的古罗马宫殿，《纽伦堡名歌手》中的中世纪小城街道，《汤豪舍》的赛歌场，都像精致的建筑模型。齐格弗里德漫游林中一景，似是史苏金作品的放大。

　　从两个世纪之交开始，瓦剧舞台上有点变成了各种画派的画廊。

　　某些设计虽然似有新意，恐怕也无甚深意，也可能是让看官们换换口味而已。把瓦尔哈拉天宫搞成巴比伦、亚述、拜占庭三种风格的杂交体，即可作一例。然而有的确有新意，显得是想寻找新的视觉语言来强化瓦剧中的微言大义。比如众神进天宫这一场景，1973年莱比锡演出，处理成一大群天宫建筑者三五成群拥在台口，观望着沃坦大神的权势集团得意洋洋地向美轮美奂的天宫走去。工人的穿着像今天的蓝领工人，天宫的内景也不异于今日之豪华大厦。人所共知，瓦氏之作中本来贯串着统治者与受奴役者对立的情节。萧伯纳当时是个狂热的瓦派，在他议论瓦格纳的文字中也将这一点大大发挥了一通。但上述这一手法又似乎太像讽刺画了，又如何与全剧的风格协调？

《齐格弗里德》中有个浪漫镜头，是男女英雄的情歌。按传统程式，繁琐的仿真景物只起到陪衬作用。1951年拜罗伊特重开戏剧节，1952年再演《指环》。这一景的设计叫观众眼睛一亮。一双恋人并肩而立着的是一个弧形舞台面，象征人类所依存的大地。仰面看一片蔚蓝的天宇，无尽无极。一大圈月晕似的光华套住他俩，俨然神圣头上的灵光。须知这正是尼采当年曾经赞叹不已的那场戏（自然他只看到当时的舞台设计）。此际，音乐高奏"爱之狂喜"主题。齐格弗里德与布仑希德的对唱抒发了海枯石烂此情不渝的忠贞。即从图片上看已给人以新鲜而又有生气的感染，觉得其中有音乐不能替代的意境。可想见放在宏大舞台空间里，汇合着瓦氏那辉煌而且深沉的用"无终旋律"织成的音乐洪流，表现"浩浩愁，茫茫劫"的崇高悲剧气氛，那一种视、听、感、思综合谐振的震撼力还可言说吗？

同是一景，设计者各有自己的语言。1951年拜罗伊特舞台上的天宫是浑然一体的独块巨石，仿佛牢不可破。1958年维也纳演出，天宫像是用巨型积木搭起来的。

《莱茵的黄金》水下一景，求新者也各有千秋。阿庇阿此公是勇于立异的先驱者。1924年他将此景变成了水底的一座圣坛。坛上供着那万欲之源的"元宝",金光四射。更玄,却也费解的是 1976 年的设计。观众所见是一座水力发电站的内景。水这"土、水、气、火"四元之一被借来象征自然之力。仙子们浮沉水中,在技术处理上向来是难题,有人索性将其化为舞蹈,倒也别有空灵之致。

爱森斯坦的一种处理,把姿态与动作的语言也综合进去,使原已够复杂的舞台形象更加复调化了。当台上的齐格林德正向齐格蒙德诉说往事之际,较低的一层上有一组舞蹈演员做着哑剧动作帮助传达乐中信息。这更是对原著的增补,也是作者并未授权的了!

还有一些"非常异议可怪"的处理。1979 年曼海姆演出,侏儒迷魅的穴居竟布置成一所工厂车间模样,摆着几台老式车床似的设备,而其间又可看到一个现代家用炉灶!

"坦白从宽"!读了这部大开眼界的书,忽然又若有所失,那便是似乎失却了多年来耽读瓦乐的一部分自由。

张爱玲在《红楼梦魇》中说,读《红楼梦》者从袭人出场又过了二十几回才见对她的描写,会有点失望,因相处已久,有了印象。尽管模糊说不出,别人说了却会觉得不对劲。

我正同此心!经过核对自己原先所想和今之所见,有若干形象与意境不但没能美化反倒贫乏了。最可惜的例子,其一是女武神天马行空这形象。几十年来"如雷贯耳"的这幅音画,一对照大失所望,听觉所得与视觉形象距离太大了!一张

1893 年巴黎演出的后台摄影报道尤其焚琴煮鹤煞风景。一排代替女武神的临时演员跨在木马上，正待从天幕后的滑道上溜下去。后台监督神色紧张，照料着她们，并助推滑座，以防大出洋相，招来倒彩。

再就是自己极陶醉的《森林之语》。前世纪的放大风景画也罢，本世纪的立体景深也好，都不大能印证自己多年从瓦乐中所得的鲜活印象。

其中有位设计家的新点子是给此景配了一幅"后印象派"风格的大画。瓦氏之乐是浪漫派，于此处提示的是中世纪气氛。画与乐格格不入，竟自组成了极刺耳也刺眼的不协和和弦！或许设计人想要的正乃这种视、听感觉之复调？

巨龙造型丑而蠢，斩龙的场面也可厌。当年托老也正是看到此处再也坐不住了。有的革新者把龙弄到后边，不作正面显示；有的巧用灯光，让它隐在一片妖雾里，见首不见尾，都比较聪明。

还有沃坦、巨人、侏儒等角色的装扮也看了不舒服，失掉了想象中的神话之美。

岂敢信口雌黄，无非想借此机会宣传一下听乐的好处。听觉的自由与空间似乎大于视觉。瓦氏的实践也似可为证。他的苦心大愿本要力矫传统歌剧重乐（有的实际只重唱）不重诗与剧之弊，所以他要搞一种三合一高度综合的乐剧。结果是诗、剧提高了地位，结合更紧密，可那乐却更加成了三位一体中的上帝，君临一切，笼罩全局。试读纽曼那本《瓦格纳的歌剧》，便知那音乐构思的意匠是何等的复杂、精细了。整部《指环》是一张用数不清的主导动机及其变体错综交织而成的巨大网络。一个角色，一种思想感情，乃至指环、宝剑，都被赋以主导动机。音乐一面介绍着、讲评着此时此地之人、情、景，又时而回忆前情，或又预示下文后事。那乐声中包罗了去、来、今。"时间的艺术"却又突破了时间的拘限！

本来，头绪如此复杂，原可能把音乐弄成乱麻一般繁琐，浓而且涩，使人不知所云吧？然而不然，瓦氏之乐听上去总是那么流动、从容、丰满而又绝不臃肿。"作曲是一种避免过早的总结束的艺术"。瓦氏的"无终旋律"绝不会给人以文气中断硬做下去的感觉。

尤为神妙的是乐队中的声音道出了台上人物的口是心非，有如戏剧中之旁白，也好比脂砚斋的硃批。管弦乐发挥着古希腊剧场中合唱队的功用。

尼采赞道："他为自然界中种种事物都创造了一种语言，而它们原本从来是无声无语的。"杜米埃有幅漫画画着音乐会中一景。万花飞舞，天花乱坠般降在听众头上，其实远不足以形容瓦氏乐剧音乐之复杂。

于是，瓦剧中好多名篇都可以移到音乐会中去让人享用。不但不比剧场里边看边听的效果逊色，许多人倒宁愿摆脱了视觉的负担闭目倾听这些妙音。那么，鄙人的狭隘体验也可免于井蛙之讥了吧？

而且还有一个联想。瓦格纳毕生没写过一部成功的交响曲，论者以为，他把自己心中的交响音曲都写进他的乐剧中了。此话极是。但瓦氏晚年不再想写乐剧，却念念不忘要写一部交响曲出来。

因之我便自我安慰，也有点庆幸，看不到舞台上的瓦剧，保留下自己在心里开演它们欣赏它们的自由，有可能是得多于失。

图书在版编目（CIP）数据

如是我闻 / 辛丰年著；严锋编. –上海：上海音乐出版社，2023.8
（辛丰年文集：卷二）
ISBN 978-7-5523-2651-2

Ⅰ.如… Ⅱ.①辛… ②严… Ⅲ.①音乐评论－文集 Ⅳ. J605-53

中国国家版本馆 CIP 数据核字（2023）第 124524 号

书　　名：如是我闻
著　　者：辛丰年
编　　者：严　锋

版权代理：学人文文化
责任编辑：章文怡　陈　盼
责任校对：顾辋玉
封面设计：金　泉

出版：上海世纪出版集团　上海市闵行区号景路 159 弄　201101
　　　上海音乐出版社　上海市闵行区号景路 159 弄 A 座 6F　201101
网址：www.ewen.co
　　　www.smph.cn
发行：上海音乐出版社
印订：上海雅昌艺术印刷有限公司
开本：889×1194　1/32　印张：9.625　插页：3　字数：177 千字
2023 年 8 月第 1 版　2023 年 8 月第 1 次印刷
ISBN 978-7-5523-2651-2/J · 2454
定价：63.00 元

读者服务热线：(021) 53201888　印装质量热线：(021) 64310542
反盗版热线：(021) 64734302　(021) 53203663